D0096456

L'ÉCOLE DES APPRENTIS MAGICIENS

Une classe pas comme les autres

L'ÉCOLE DES APPRENTIS MAGICIENS

MAGICIENS

Une classe pas comme les autres

Sarah
MLYNOWSKI

Lauren
MYRACLE

et

Emily
JENKINS

Texte français
d'Isabelle ALLARD

Éditions
■SCHOLASTIC

Catalogage avant publication de Bibliothèque et Archives Canada

Mlynowski, Sarah

[Upside-down magic. Français]

Une classe pas comme les autres / Sarah Mlynowski,
Lauren Myracle, Emily Jenkins ; traduction, Isabelle Allard.

(L'école des apprentis magiciens ; 1)
Traduction de : Upside-down magic.
ISBN 978-1-4431-5505-2 (couverture souple)

I. Myracle, Lauren, 1969-, auteur II. Jenkins, Emily, 1967-, auteur
III. Allard, Isabelle, traducteur IV. Titre. V. Titre: Upside-down magic.
Français.

PS8576.L95U6714 2016   jC813'.54   C2016-903047-4

Copyright © Sarah Mlynowski, Lauren Myracle et Emily Jenkins, 2015,
pour le texte anglais.
Copyright © Éditions Scholastic, 2016, pour le texte français.
Tous droits réservés.

Il est interdit de reproduire, d'enregistrer ou de diffuser, en tout ou en partie,
le présent ouvrage par quelque procédé que ce soit, électronique, mécanique,
photographique, sonore, magnétique ou autre, sans avoir obtenu au préalable
l'autorisation écrite de l'éditeur. Pour toute information concernant les droits,
s'adresser à Scholastic Inc., 557 Broadway, New York, NY 10012, É.-U.

Édition publiée par les Éditions Scholastic, 604, rue King Ouest, Toronto
(Ontario) M5V 1E1

6 5 4 3 2   Imprimé au Canada 139   18 19 20 21 22

L'éditeur n'exerce aucun contrôle sur les sites Web de tiers et de l'auteur et
ne saurait être tenu responsable de leur contenu.

Ce livre est une œuvre de fiction. Les noms, personnages, lieux et incidents
mentionnés sont le fruit de l'imagination de l'auteur ou utilisés à titre fictif.
Toute ressemblance avec des personnes, vivantes ou non, ou avec des
entreprises, des événements ou des lieux réels est purement fortuite.

Conception graphique d'Abby Dening

Pour David, bien entendu

Nory Horace essayait de se transformer en chaton. Le chaton devait être noir. Et il devait avoir une forme complète de chaton.

C'était le milieu de l'été. Nory était cachée dans le garage familial. *Chaton, chaton, chaton,* pensait-elle.

Elle se cachait au cas où quelque chose clocherait. Elle ne voulait pas qu'il y ait de témoins. Mais si ça se mettait *vraiment* à déraper, son frère et sa sœur seraient assez près pour l'entendre crier à l'aide.

Ou miauler à l'aide.

Ou rugir.

Nory décida de ne pas y penser. Avec un peu de

chance, elle n'aurait pas besoin d'aide.

Chaton, chaton, chaton.

Elle devait maîtriser le chaton, car le lendemain, c'était le Grand Test. Le lendemain, après tant d'années d'attente, elle passerait enfin l'examen d'admission de l'académie Sage.

Il n'était pas facile d'entrer dans cette école. Seuls étaient acceptés les jeunes de très grands talents. Les amis de Nory ne tentaient même pas leur chance. Ils avaient tous choisi des écoles plus faciles.

Si Nory réussissait le Grand Test, elle entrerait en cinquième année à l'académie Sage à l'automne.

Et si elle échouait...

Non. Elle n'échouerait pas. Elle n'avait pas fait de demande d'admission dans d'autres écoles. Non seulement parce que l'académie Sage était une école de magie très importante, mais aussi parce que son frère Hubert y allait.

Sa sœur, Dalia, fréquentait aussi cette école.

De plus, leur père était un genre de directeur.

Bon, d'accord. Il était *vraiment* le directeur.

Nory avait la nausée juste à penser au Grand Test.

Sa magie était puissante. Il n'y avait aucun doute là-dessus. Mais parfois, sa magie se détraquait.

Et l'académie Sage ne voulait pas de magie qui se détraquait.

Un chaton noir figurerait probablement à l'examen de demain. C'était un animal de débutant. Nory s'était transformée en chaton noir très souvent, en fait. Le problème, c'était ce qui se produisait *ensuite*.

Mais Nory ne voulait plus y penser. Alors, elle prit une grande inspiration et leva le menton.

Chaton! Chaton! CHATON!

Le monde devint embrouillé et son cœur se mit à battre plus vite. Son corps s'étira et se contracta. On entendit des petits bruits secs.

Oui, chaton!

Un instant...

Sa bouche était bizarre. Nory claqua des dents. Clac, clac, clac. *Holà.*

Ces dents n'étaient pas normales. Elles étaient longues. Elles étaient pointues. Elles étaient puissantes. Longues, pointues et assez puissantes pour couper du bois!

Hum, pensa Nory en éprouvant une drôle de

sensation. *Pourquoi un chaton voudrait-il ronger du bois?*

Elle regarda par-dessus son épaule et vit une queue noire de chaton parfaite remuer dans les airs. Attachées à la queue se trouvaient des pattes de chaton noires, pourvues de coussinets et de griffes.

Elle baissa les yeux, s'attendant à voir des pattes avant assorties, à l'endroit où se trouvaient auparavant ses bras. Mais...

Ses pattes avant n'étaient pas des pattes de chaton. La fourrure était brune et lustrée. Et elle semblait avoir un ventre rond et rebondi. Et quel genre de museau était-ce donc?

Elle ne le voyait pas très bien, mais il n'avait rien de félin. Ça ressemblait plutôt à un mufle.

Un mufle de castor.

Zaperlotte! Je suis mi-chaton, mi-castor! comprit Nory.

Sa magie.

S'était carrément.

Détraquée.

Pas encore! se dit-elle. *Que fais-je donc de travers? Je vais échouer au Grand Test si ça m'arrive demain. Je devrais me retransformer tout de suite et essayer encore d'être un parfait chaton. Oui. C'est ce que je vais faire.*

Mais le côté castor-chaton en elle ne voulut rien entendre. Castor-Chaton-Nory se fichait bien du Grand Test. Castor-Chaton-Nory voulait juste gruger des trucs avec ses incroyables dents de castor.

Elle chercha dans le garage. Du bois! Où y avait-il du bois?

Je dois ronger! pensa Castor-Chaton-Nory. *Je dois faire un barrage de castor.*

— Non! Non! fit la voix étouffée de Fille-Nory.

Castor-Chaton-Nory sortit en se dandinant du garage et entra dans la maison. Elle monta à l'étage et pénétra dans le bureau de son père. Des souches d'arbres feraient l'affaire, ou des branches. N'importe quoi en bois.

Nory aperçut la bibliothèque de son père.

Elle était magnifique, construite avec soin deux siècles plus tôt par des artisans en Europe.

C'était un meuble très important et très coûteux.

Et très appétissant.

Oooh, pensa Castor-Chaton-Nory. *Regardez-moi ça! Un grand objet en bois! Et des rectangles à mâcher!*

Elle fit tomber un des livres par terre et le grignota.

Il était dur à l'extérieur, comme de l'écorce. Et tendre à l'intérieur, comme des feuilles. *Miam. Crouch, crouch.* Castor-Chaton-Nory grugea quatre des livres de son père.

Puis elle mordilla les pattes du bureau en chêne de son père.

Ensuite, elle mâchonna un morceau du fauteuil préféré de son père. Elle transporta du rembourrage et du bois dans la salle de bain des invités et construisit une hutte de castor sous le lavabo. Elle pourchassa ensuite sa queue de chaton quelques minutes, avant d'utiliser un tas de pages arrachées en guise de litière.

C'était merveilleux. *Elle* était merveilleuse. Elle, Castor-Chaton-Nory, ne s'était pas sentie aussi bien depuis des semaines!

Du moins, jusqu'à ce que son frère Hubert la trouve.

2

Hubert avait seize ans. Il s'occupait d'à peu près tout dans la maison parce que leur père, le professeur Horace, était trop occupé et important pour préparer le souper et tresser les cheveux.

Et parce que leur mère n'était plus là.

Elle était morte il y avait très longtemps.

Hubert aimait faire du sport, cuisiner et donner des ordres. Il aimait aussi incendier les objets, puisqu'il était une Flamme. Une très bonne Flamme, en plus. Ses pouvoirs ne se détraquaient jamais.

— Nory! s'écria-t-il, les yeux fixés sur la hutte de castor. Que fais-tu là?

Castor-Chaton-Nory essaya de se frotter le visage sur le pantalon de Hubert.

— Je ne sais pas ce que tu es en ce moment, poursuivit-il, mais tu ferais mieux de te métamorphoser et de m'aider à tout nettoyer. Sérieusement, qu'as-tu fait? Ça pue, ici!

Sa voix fit trembler Castor-Chaton-Nory.

— Nory! Change-toi *maintenant!* cria Hubert.

Pouf! Il réussit à effrayer Nory suffisamment pour qu'elle reprenne sa forme de fille : cheveux ébouriffés, petit corps, peau brune, chemise mauve. Elle avait un peu de tissu de fauteuil coincé entre les dents. *Ouache!* Elle le recracha.

C'était un désastre.

Le bureau et la salle de bain étaient un fouillis malodorant. Le fauteuil favori de son père semblait avoir explosé. Son bureau antique était dangereusement incliné sur trois pattes. Certains de ses précieux livres ressemblaient à de la salade de chou.

Il allait être très, *très* en colère.

— Désolée, chuchota Nory.

Hubert avait l'air fâché. Et effrayé.

— Aide-moi à tout remettre en ordre, dit-il à sa sœur. On n'a pas beaucoup de temps.

Ensemble, ils nettoyèrent les dégâts du mieux possible. Ils remplirent de nombreux sacs à déchets. Ils astiquèrent les surfaces avec un produit nettoyant en aérosol. Quand la salle de bain retrouva son état normal, Hubert appela un menuisier pour qu'il répare le bureau et le fauteuil. Il dit à Nory de passer l'aspirateur pour ramasser le bran de scie. Il trouva le site Web de la librairie Voltaire et ciel et commanda des exemplaires de tous les livres que Nory avait détruits.

Une fois que tout fut réglé, Nory toussota et demanda :

— Hubert? Es-tu toujours fâché contre moi?

Il secoua la tête.

— Tu dois contrôler ton esprit humain, Nory. C'est tout.

— Je sais.

— Et quand tu te transformes en animal, il faut que ce soit un animal *normal*. Arrête de mélanger les éléments. Tu deviens vraiment bizarre et personne n'aime ça.

— Je m'exerçais à être un chaton comme tu me l'as

montré, expliqua-t-elle. Puis la partie castor est apparue, et tout s'est détraqué.

— C'est ce que tu étais? demanda-t-il. Un chaton-castor?

— Un castor-chaton, en fait, dit-elle avant de s'exclamer en souriant. Un caston!

— Peu importe ce que c'était, c'était répugnant! répliqua son frère.

Le sourire de Nory s'évanouit.

— Tu as perdu le contrôle, comme d'habitude, continua-t-il. Il va falloir accuser les lapins de Dalia, je suppose.

Dalia, la grande sœur de Nory, avait treize ans. Elle était une Fourrure et avait beaucoup d'animaux, dont deux chauves-souris, trois crapauds, un furet, un toucan, deux souris et douze lapins. Ils n'étaient pas bien élevés. Le furet faisait caca sur le tapis. Les crapauds aussi. Et les chauves-souris s'accrochaient toujours aux cheveux des gens. Ce ne serait pas difficile de jeter le blâme de ce dégât sur les lapins.

Mais Nory se sentait coupable. Les lapins ne devraient pas être punis pour son erreur. Dalia non plus. Elle dit en se tordant les mains :

— On ne devrait pas plutôt dire à Père ce qui s'est vraiment produit?

— Non, répondit Hubert. Il ne faut pas qu'il soit fâché contre toi, pas la veille du Grand Test.

Nory baissa la tête. Hubert avait peut-être raison. Certains mensonges étaient moins risqués que la vérité.

Jusqu'aux vacances d'été, Nory avait fréquenté une école ordinaire comme tous les enfants de son âge. Et comme toutes les écoles ordinaires, il y avait des classes de la maternelle à la quatrième année. L'école de Nory s'appelait Vallée Boisée.

Elle y avait étudié la lecture, l'écriture, les mathématiques, les sciences, l'éducation physique, l'art et la musique. La seule chose qu'elle n'avait pas étudiée était la magie, puisque les pouvoirs des gens ne se manifestaient que vers l'âge de dix ans. À dix ans, quand les enfants étaient prêts pour la cinquième année, ils devaient s'inscrire dans une autre école. Ils continuaient toujours de lire, de faire des maths et de jouer au basketball, mais ils pratiquaient aussi la magie. Le type de magie dépendait de leurs talents.

Certains enfants étaient des Flammes. Ils avaient des talents liés au feu, comme Hubert.

D'autres étaient des Fourrures. Ils avaient des talents liés aux animaux, comme Dalia.

Ou encore ils étaient des Fugaces, des Flèches ou des Fluides. Nory était une Fluide, mais pas une Fluide ordinaire.

Sa magie était exceptionnellement puissante. Contrairement à la plupart des Fluides, elle pouvait se transformer en une foule d'animaux. Cependant, Nory ne montrait pas sa magie à son père, car sa magie se déréglait toujours.

Par exemple, elle devenait une mouffette parfaite, qui se gonflait ensuite jusqu'à avoir la taille d'un éléphant. Puis une trompe se mettait à pousser.

Ou alors, elle se transformait en gentil chiot auquel poussaient soudain des pattes de calmar.

Nory savait que son père n'aimerait pas un chiot aux pattes de calmar, mais alors là, *pas du tout*.

Un autre problème était que Fille-Nory perdait presque toujours le contrôle de son esprit humain durant ses transformations et finissait par faire de gros dégâts.

Moufféphant-Nory avait cherché avidement des arachides et empesté la cuisine des Horace. Ils avaient dû tout nettoyer à l'eau de Javel et convaincre leur père que de vraies mouffettes s'étaient faufilées par la fenêtre de la cuisine. Chiot-Calmar-Nory avait mâchonné toutes les chaussures de Dalia et aspergé Hubert d'encre noire. Hubert avait prétendu avoir été victime d'un stylo explosif.

Même le chaton noir avait dérapé dans quatre directions différentes. Le plus inquiétant avait été le chaton dragon : Nory avait craché du feu sur le canapé. Hubert en avait assumé la responsabilité, disant à leur père qu'il avait raté un projet de Flamme pour un siège chauffant. M. Horace avait acheté un nouveau canapé et obligé Hubert à en payer une partie. Toutefois, Nory se demandait s'il l'avait vraiment cru. Hubert obtenait des notes parfaites en études de Flammes à l'académie Sage. Il ne ferait jamais une bourde pareille.

Leur père devait se douter que le pouvoir de transformation de Nory échappait à son contrôle.

Il refusait simplement d'en parler.

Il refusait de parler d'une foule de choses.

Quand leur père rentra de l'académie Sage ce soir-là, Hubert le mit au courant de l'incident. M. Horace se dirigea aussitôt vers son bureau pour constater les dommages. Hubert, Dalia et Nory le suivirent.

Leur père fronça les sourcils en voyant les marques de griffes sur son bureau.

— Dalia, déclara-t-il, tu dois mieux maîtriser tes lapins. Ils ont besoin de discipline. De discipline et d'un meilleur verrou sur leur enclos. Tu vas t'en occuper?

— Oui, Père, répondit Dalia avec un regard courroucé à sa sœur.

M. Horace hésita.

— Bon. Merci, Hubert, d'avoir appelé le menuisier et d'avoir commandé d'autres livres.

Le garçon hocha la tête. M. Horace regarda Nory. Pendant une seconde, elle crut qu'il allait lui dire quelque chose.

Il lui demanderait peut-être ce qui s'était réellement passé. Et lui proposerait son aide.

Au lieu de cela, il serra et desserra les poings à trois

reprises. Le bureau en désordre disparut autour d'eux.

La plupart des Fugaces pouvaient faire disparaître des objets, mais seuls les Fugaces extrêmement puissants pouvaient faire disparaître une pièce entière tout en laissant les gens debout à l'intérieur. Toutes les bordures étaient nettes et bien droites. La famille Horace semblait flotter au-dessus de la salle à manger.

— Allez en bas, les enfants, déclara M. Horace. Je ne veux pas être dérangé de la soirée.

Il disparut lui-même et la conversation prit fin.

M. Horace partit travailler tôt le lendemain matin.

Nory déjeuna avec Dalia, Hubert et quelques lapins de sa sœur.

— Veux-tu ton œuf dur ou à la coque? demanda son frère en prenant un œuf dans le réfrigérateur.

— À la coque, s'il te plaît, répondit Nory.

Hubert prépara l'œuf à la façon des Flammes, en le réchauffant entre ses mains jusqu'à ce qu'il soit cuit à la perfection. Puis il fit jaillir des flammes de ses doigts pour faire griller une tranche de pain.

— Mange, tu vas avoir besoin de toute ton énergie,

dit-il en servant la nourriture à Nory. Es-tu prête pour le Grand Test?

Nory hocha la tête. Puis elle la secoua. Elle mangea sa rôtie du bout des lèvres.

— Fais ce que demandent les enseignants, lui conseilla son frère. Pas plus, pas moins. Ne fais rien de bizarre.

— Je sais, dit-elle.

Elle tenta d'avaler, mais les miettes de pain se coincèrent dans sa gorge.

— Ils veulent que tu sois prévisible, ajouta-t-il.

— Je sais.

— Et précise.

— Je sais.

— Alors, fais attention aux détails, comme les moustaches.

— D'accord.

— Et contrôle le corps de l'animal.

— Compris.

— Et tresse tes cheveux. Bien serré! Aussi, tu ne peux pas porter ce pantalon.

Nory regarda ses vêtements.

— Mais c'est mon jean violet porte-bonheur!

Hubert secoua la tête.

— Va mettre ta robe avec le joli col.

Elle se leva.

— Pas maintenant! Après le déjeuner.

Elle se rassit et Hubert lui donna d'autres conseils. Dalia se mit de la partie. Ils lui parlèrent pendant qu'elle essayait de manger. Ils lui parlèrent derrière la porte de sa chambre pendant qu'elle se changeait. Ils lui parlèrent tout le long du trajet jusqu'à l'académie Sage, qui était à dix minutes de la maison.

Après avoir franchi la grille de l'école, ils s'immobilisèrent. Hubert mit les mains sur les épaules de Nory et déclara :

— Peu importe ce qui arrive, peu importe en quoi tu te transformes, ne lèche rien.

— Et ne mange rien, ajouta Dalia.

Hubert serra Nory dans ses bras.

— Fais de ton mieux.

— Et réussis le test, dit Dalia.

— Mais on n'est pas inquiets! s'exclamèrent-ils en chœur.

Puis ils partirent. Hubert avait un emploi d'été et

Dalia devait rencontrer son tuteur de maths.

Nory resta seule.

La Salle de magie et de spectacle de l'académie Sage se trouvait dans un haut immeuble en pierre. Des gargouilles observaient les visiteurs du haut de la façade.

À l'intérieur, Nory se joignit à une file de jeunes qui attendaient avec leurs parents. Ils étaient tous là pour le Grand Test.

Les mères lissaient les cheveux de leurs enfants. Les pères tapotaient leurs épaules et boutonnaient leurs cardigans.

La robe de Nory la démangeait.

Elle était derrière une fille à la peau claire, aux traits délicats et aux cheveux courts. Elle était de petite taille. Ses pieds et ses mains étaient minuscules. Une seule chose semblait grande chez elle : ses lunettes à monture noire. Chaque lentille avait la taille d'un gros biscuit.

Le père de la fille lui parlait à voix basse.

— Tu peux enflammer des allumettes, Lara. Nous le savons déjà. Mais répétons une autre fois pour la guimauve.

— Dorée en quatre secondes, légèrement brûlée en six, récita la fille.

Sa lèvre inférieure frémissait.

— Si tu ne la grilles pas assez, tu n'entreras pas à l'académie Sage, l'avertit son père. Si tu la brûles, ce sera encore pire.

Lara hocha la tête.

— Ne fais pas de gaffe, dit son père.

Les mains de Lara se mirent à trembler.

Nory se sentit mal pour elle. Son père ne lui était pas d'un grand secours. Elle tapota l'épaule de la fille et lui sourit.

— C'est énervant, hein? lui dit-elle. J'ai l'estomac horriblement noué.

Lara se retourna vivement.

— *Chut!* Ne vois-tu pas que les gens se concentrent? Ils repassent leurs techniques de magie!

Nory rougit. Elle se mâchonna l'intérieur des joues et attendit.

La file avança.

À présent, dix enfants étaient devant elle.

Puis huit. Cinq.

Et une. On appela Lara et une expression paniquée apparut sur son visage.

— Bonne chance, lui dit Nory.

— *Chut!* fit Lara à nouveau.

Prenant un air impassible, elle se dégagea de l'étreinte de son père et entra dans la Salle de magie et de spectacle pour subir le Grand Test.

Silence.

Encore du silence.

Puis, derrière la porte de la Salle de magie et de spectacle, s'élevèrent des sanglots déchirants.

Lara surgit de la salle, courut dans le long couloir et poussa les lourdes portes de l'immeuble.

— Lara? s'écria le père de la jeune fille en se lançant à sa poursuite. Lara!

Les sanglots de Lara résonnaient de façon sinistre.

Nory frissonna.

C'était son tour.

3

La Salle de magie et de spectacle était imposante avec son plafond orné de dragons et de licornes. Les sièges étaient recouverts de velours violet et la scène encadrée de rideaux dorés. Un grand lustre aux multiples bougies pendait du plafond.

Sur la scène se trouvait une table en bois qui semblait aussi vieille que l'école elle-même. Nory monta sur la scène et fit face à son auditoire. Quatre enseignants et son père, le directeur, étaient assis à la première rangée.

Son père portait son complet de tous les jours.

Il ne souriait pas et se tenait le dos bien droit.

Il n'avait pas besoin d'informer quiconque que

Nory était sa fille. Tout le monde le savait.

Nory sentit ses jambes flageoler.

— Nommez-vous, ordonna M. Puthoor.

Nory l'avait déjà rencontré lorsqu'elle avait assisté à des événements de l'école avec son frère et sa sœur. À ces occasions, elle ne l'avait jamais vu sourire. Pas une seule fois.

— Elinor Boxwood Horace, répondit-elle. Mais tout le monde m'appelle Nory.

M. Puthoor fronça les sourcils.

— Nous allons commencer par les tests de base, mademoiselle Horace. Si vous démontrez du talent dans un domaine de la magie, nous vous demanderons d'en exécuter davantage dans cette catégorie.

Nory hocha la tête.

— Par exemple, poursuivit l'enseignant, le test des Flammes commence par la combustion d'une allumette. Si vous réussissez cette première étape, vous devrez griller une guimauve, faire cuire un œuf, et ainsi de suite.

Nory hocha de nouveau la tête.

— Cependant, si vous ne pouvez pas enflammer

l'allumette, vous n'êtes pas une Flamme. Dans ce cas, nous passerons à la catégorie suivante. Vous comprenez?

— Oui.

— Veuillez approcher de la table, mademoiselle Horace.

Nory s'avança. Il y avait une boîte sur la table.

— Vous pouvez l'ouvrir, dit l'homme.

Nory l'ouvrit et en sortit un gros crapaud couvert de verrues. Il coassa en clignant de ses yeux globuleux.

— Faites disparaître le crapaud, ordonna M. Puthoor.

C'est le test des Fugaces, alors, se dit Nory. Les Fugaces, comme son père, faisaient disparaître les objets.

Elle se dit qu'elle pouvait bien essayer. Ce serait génial d'être une Fugace comme son père et non une Fluide détraquée.

Elle ferma les yeux.

Elle tenta d'effacer le crapaud de son esprit.

Elle fit un gros effort.

Plus de crapaud, plus de crapaud, plus de crapaud.

Elle ouvrit les yeux.

Le crapaud était toujours là. Ses yeux étaient toujours

globuleux.

Les enseignants prenaient des notes. Le père de Nory pinça les lèvres et fit disparaître le crapaud lui-même.

Ensuite, M. Puthoor monta sur la scène et déposa une boîte d'allumettes sur la table. Il en sortit une allumette et la tendit à Nory.

— Allumez-la sans la frotter.

Le test des Flammes. Les Flammes manipulent le feu et la chaleur, comme Hubert.

Peut-être vais-je réussir celui-là! songea Nory. Elle avait déjà mis le feu au canapé, après tout. Le jour où elle avait eu un petit problème de dragon.

N'y pense surtout pas! Ça risquerait d'arriver.

Elle secoua la tête.

— Je ne peux pas, dit-elle.

Les enseignants écrivirent dans leurs carnets.

— Très bien, dit M. Puthoor. Soulevez-vous dans les airs. À soixante centimètres du sol, exactement.

Oh! pensa Nory. *Le test des Flèches!*

Elle n'était pas une Flèche, mais elle avait déjà volé. Plus d'une fois. Par exemple, en janvier, elle s'était transformée en souris aux ailes de rouge-gorge et...

Non, non, non. Ils ne veulent pas voir ça.

Ils voulaient un vol normal de Flèche.

Nory contracta ses muscles. Elle sentit son visage s'empourprer.

En haut, en haut, en haut, en HAUT.

Elle demeura les pieds collés au plancher.

— Les grimaces ne vous feront pas voler, mademoiselle Horace, la morigéna M. Puthoor. Poursuivons. Je vais appeler Lili.

Il siffla un air mélodieux. Une licorne argentée sortit des coulisses et s'approcha timidement.

— Comme vous le savez, les licornes n'aiment pas les champignons, poursuivit-il. Et elles sont nerveuses en présence de la plupart des humains.

Des champignons apparurent sur la table devant Nory.

— Prenez des champignons et faites manger Lili dans votre main.

Le test des Fourrures. La magie animale. Dalia le réussirait en un clin d'œil.

Nory prit les champignons.

— Viens, ma belle, dit-elle. Viens, Lili.

Elle s'avança vers la licorne.

Cette dernière hennit et recula.

— Non, Lili, tu *aimes* les champignons. *Miam, miam,* des champignons!

Lili recula d'un autre pas.

— Ça suffit, déclara M. Puthoor d'un air las.

Mais Nory continua.

— Allez, Lili. Sois une brave licorne! Je ne te ferai pas de mal.

Elle prit une grande inspiration et s'avança d'un pas.

— Mange les champignons! S'il te plaît?

Lili se cabra et détala. Elle fit trois fois le tour de la scène au galop avant de sauter dans la salle et de remonter l'allée en trombe. Elle vira à droite dans le foyer et disparut dans l'escalier.

Nory aurait voulu se cacher.

Quatre tests ratés. Lili terrifiée. M. Puthoor exaspéré. Son père figé dans son siège.

Il restait encore le test des Fluides. Elle pouvait le réussir. Elle en était certaine.

4

Le père de Nory se leva et déclara de la voix retentissante qu'il utilisait pour s'adresser aux foules (et parfois aussi à la maison) :

— Il reste une seule catégorie. Veuillez vous transformer en chaton noir, mademoiselle Horace.

Nory se concentra. Très fort.

Chaton, pensa-t-elle. *Chaton, chaton, chaton!*

Comme d'habitude, elle sentit son corps se transformer et sa vision s'embrouiller. Des petits bruits secs résonnèrent. Elle se concentra sur les détails que les enseignants voudraient voir : moustaches, griffes, poils dans les oreilles. Et puis...

Nory était un chaton! Un chaton noir, à en juger par ses pattes.

— Très bien, dit M. Puthoor.

Youpi, youpi! songea Fille-Nory.

Chaton-Nory ronronna.

— Le professeur Horace va vérifier les détails, ajouta l'enseignant.

Le père de Nory monta sur la scène. Il observa Chaton-Nory. Elle bondit sur la table et se lécha la patte d'un air fanfaron.

Les yeux de son père étaient sérieux derrière ses lunettes, mais il semblait satisfait. Il se pencha vers elle.

Les sens de Chaton-Nory étaient aux aguets. Quelle était donc cette bonne odeur?

Du poisson!

Poisson! Poisson! Poisson!

Oublie ce poisson! tenta de dire Fille-Nory à Chaton-Nory. Son père aimait manger du saumon fumé pour le déjeuner. L'odeur était restée sur ses mains, tout simplement.

Mais Chaton-Nory ne put résister.

Poisson!

Pas de poisson pour toi!

La main de son père s'avança pour la caresser. Elle sentait bon.

Poisson, poisson, poisson!

Les mâchoires de Chaton-Nory s'ouvrirent comme celles d'un serpent.

Un serpent? Était-elle un serpent-chaton, maintenant? Un serton?

CLAC!

Elle mordit la main de son père avec sa mâchoire de serton.

Il poussa un cri de douleur et tenta de se libérer, mais elle tint bon.

Poisson!

ARRÊTE ÇA TOUT DE SUITE!

Poisson!

Ce n'est pas du saumon! C'est Père!

Poisson!

Tu n'entreras jamais à l'académie Sage si tu manges le directeur!

Poisson!

ARRÊTE!

Poisson!

TOUT TON AVENIR EST EN JEU!

Bon, d'accord.

D'un mouvement brusque, Serton-Nory lâcha la main de son père.

Elle sentit lentement le serpent en elle s'éclipser.

Fiou. À présent, elle était seulement un chaton. Un bon petit chaton noir, elle en était convaincue. Alors, peut-être qu'elle réussirait le test? Il n'y avait eu qu'une minute de serton. Il était possible qu'ils n'aient rien remarqué.

Nory sentit un fourmillement sur ses épaules.

Que se passait-il? Elle se tortilla pour regarder.

Oh, non.

Elle avait des ailes. D'immenses ailes trois fois plus grandes que son corps de chaton.

D'énormes griffes jaillirent de ses pattes de chaton.

Flap, flap! Grrr!

Elle s'éleva dans les airs. Elle survola l'auditorium avec ses grandes ailes de dragon.

Elle était un dragon-chaton, à présent!

C'est fantastique! songea Draton-Nory. *Vraiment*

fantastique!

Fille-Nory n'était pas d'accord. *Non, pas fantastique!*
Sois juste un chaton normal!

Mais Draton-Nory ne voulait rien entendre.

Pas question. Voler est trop amusant! Il est même temps
de cracher un peu de feu!

Non, pas de feu! pensa Fille-Nory.

Oui, du feu! pensa le draton. *Et cette licorne... Quel*
festin délicieux ce serait!

Attends! songea Fille-Nory. *Arrête. Calme-toi! Vole*
plus bas.

Elle pouvait peut-être arranger les choses. En fait,
elle avait une idée. Une bonne idée.

Si cette idée fonctionnait, Nory pourrait entrer à
l'académie Sage.

Draton-Nory s'éloigna du haut plafond. Sous les yeux
des enseignants, elle battit des ailes et plana au-dessus de
la scène, à soixante centimètres du sol, exactement.

Comme pour le test des Flèches.

L'avaient-ils remarqué?

Oui! Ils prenaient des notes dans leurs carnets.

Puis, se disant que ça valait la peine d'essayer, Draton-

Nory passa au test des Flammes. D'une grosse bouffée, elle alluma la boîte entière d'allumettes.

Ya-hou! Fluide, Flèche et Flamme. Trois catégories sur trois!

Considéreraient-ils cela comme un triple talent?

Sinon, ce serait tout de même acceptable. Elle avait beaucoup de magie en elle! Cela devait bien valoir quelque chose...

À moins qu'elle ne soit VRAIMENT en train d'échouer au Grand Test?

Ce doute dissipa soudain son excitation. Elle redevint une fille.

— Merci de m'avoir fait passer le test, déclara poliment Nory.

Elle s'obligea à sourire, comme Hubert le lui avait conseillé. Elle fit appel à toutes ses bonnes manières.

Les enseignants continuaient d'écrire. Mais pas son père. Il soutenait sa main enflée. Sa main enflée et ensanglantée.

Les enseignants avaient une mine sévère. Finalement, ils déposèrent leurs stylos et penchèrent la tête pour chuchoter entre eux.

Nory se figea.

M. Puthoor leva les yeux.

— Mademoiselle Horace, je suis désolé. Nous ne pouvons pas avoir de magie déréglée à l'académie Sage. Peu importe l'étendue de vos pouvoirs, et peu importe vos liens familiaux.

— Mais...

— Votre magie est détraquée.

Nory se tourna vers son père.

Son père la regarda.

— Je suis d'accord, dit-il d'un air grave. Elinor Boxwood Horace, votre candidature est refusée.

5

Ce soir-là, le père de Nory et Hubert chipotèrent dans leur assiette. Dalia ne mangea que la moitié d'un navet. Nory ne put rien avaler. Sa gorge était bloquée par les larmes qu'elle tentait de retenir.

Personne ne parla de ce qui s'était produit. Personne ne parla. Point à la ligne.

Aussitôt qu'il eut terminé son repas, son père devint invisible et alla dans son bureau toujours invisible. Il n'en sortit pas de la soirée.

Hubert laissa Nory regarder la télévision plus tard. Il lui prépara des guimauves grillées. Dalia convainquit un lapin de se blottir sur les genoux de sa sœur.

Mais ils ne parlèrent pas de ce qui était arrivé. Pas ce soir-là, ni les jours et les soirs qui suivirent.

Nory ne savait pas ce qui arrivait aux enfants qui n'étaient acceptés dans aucune école.

Personne ne voulait lui dire. La seule fois où elle avait posé la question à Hubert, il lui avait dit de ne pas s'en inquiéter pour l'instant.

Beaucoup de jeunes fréquentaient des écoles publiques, mais son père ne les aimait pas. Il allait peut-être embaucher une gouvernante pour lui faire la classe à la maison.

L'été s'étira et l'automne approcha. Nory joua avec ses amis de l'école ordinaire Vallée Boisée. Elle les entendit parler des écoles où ils avaient été acceptés. Elle admira leurs nouveaux talents sans leur montrer les siens.

Elle lut des livres. Elle regarda des films. Elle frappa un ballon de soccer dans la cour. Comme elle redoutait de demander à son père ce qui se passerait à la rentrée scolaire, elle ne lui posa aucune question.

Par une fraîche soirée du mois d'août, le téléphone de son père émit un bip durant le souper. Il le consulta et recula sa chaise.

— Elle est en route, dit-il à Hubert. Tu vas t'en occuper?

Hubert hésita, puis baissa les yeux.

— Oui, répondit-il.

Son père sortit de la pièce tout en devenant invisible.

— Qui est en route? demanda Nory. De quoi vas-tu t'occuper?

Son frère enflamma sa serviette de papier et l'éteignit.

Dalia offrit une cuillerée de confiture au furet à ses pieds.

— Que se passe-t-il? insista Nory.

— Je suis là! lança une voix dynamique à l'extérieur.

Une robuste femme blanche entra en volant par la fenêtre de la cuisine. Elle portait un jean et des espadrilles. Ses cheveux courts étaient hérissés dans toutes les directions. Elle dévia adroitement vers la salle à manger et se posa doucement sur le sol.

Nory resta bouche bée. C'était tante Margo. Elle ne leur avait pas rendu visite depuis la mort de leur mère, six ans plus tôt.

Margo étreignit Hubert et Dalia, gardant Nory pour la fin.

— Oh, ma petite Nory! Tu as tellement grandi!

— Ah bon?

— Et il paraît que tu as *tout un talent*. As-tu tes affaires?

— Hein?

Sa tante haussa les sourcils.

— Chandails, jeans, pyjamas... Et ta brosse à dents. Je pourrai revenir pour tes vêtements chauds, mais tu as besoin des trucs de base.

Nory se tourna vers son frère et sa sœur qui refusèrent de croiser son regard.

— Oh, sérieusement! s'exclama tante Margo. Ils ne t'ont rien dit?

— Dit quoi? demanda Nory d'une petite voix.

— Voyons donc! Pourquoi personne ne parle jamais de rien dans cette famille?

— Désolé, marmonna Hubert. J'allais le faire.

Tante Margo se souleva du sol si haut qu'elle faillit toucher le plafond de la salle à manger. Elle le frappa du poing.

— Tu dois discuter des choses importantes, Pierre! cria-t-elle au père de Nory. Ce n'est pas bon de ne pas parler de certains sujets avec ses propres enfants!

Nory était interloquée.

— Il ne m'écoute pas, dit Margo en redescendant par terre. Il ne m'a jamais écoutée et ne le fera jamais. Mais ça me soulage de lui dire ma façon de penser!

Nory se dit que ça la soulagerait plus de changer de sujet.

— Père dit que tu conduis un taxi, lança-t-elle, et que tu n'es pas payée cher. En fait, il affirme que tu es pauvre et c'est pour ça qu'on ne t'a pas vue depuis longtemps.

— Nory! la morigéna Dalia.

— Peuh, répliqua Margo. Je ne suis pas pauvre, mais je ne suis pas riche non plus. Et je ne conduis pas de taxi. Je *suis* un taxi.

Elle désigna le logo sur son t-shirt : TAXI VOLANT DOUBLE M.

Nory était impressionnée malgré elle. Toutes les Flèches pouvaient voler, sinon elles n'auraient pas été des Flèches. Mais très peu pouvaient prendre des passagers.

Hubert se dirigea vers le placard de l'entrée et en sortit un sac de voyage bleu, qu'il déposa près de la porte.

— J'ai préparé ses bagages, dit-il sans regarder sa sœur.

La lèvre inférieure de Nory frémit.

— Père se débarrasse de moi? Parce que j'ai raté le Grand Test?

— Ce n'est pas ça, intervint Dalia.

— C'est temporaire, promit Hubert.

— Pour ton éducation, ajouta Dalia. Tu nous rendras visite pendant les vacances. Ce sera amusant!

— Il a honte de moi, dit Nory, les yeux pleins d'eau. Vous avez tous honte de moi!

Tante Margo secoua la tête.

— C'est faux. Ils veulent ce qu'il y a de mieux pour toi. Et j'ai hâte de réapprendre à te connaître.

Nory sentit son corps se vider de son énergie.

Père. Hubert. Dalia. Les deux chauves-souris, les trois crapauds, le furet, le toucan, les deux souris et les douze lapins. Personne ne voulait d'elle.

Hubert tendit le sac de voyage à tante Margo.

— Une veste peut-être? dit cette dernière.

— Hum, fit Hubert.

— Va chercher ta veste, dit tante Margo à Nory.

La jeune fille lui obéit.

— Boutonne-la.

C'est ce qu'elle fit.

— Dis au revoir à Hubert et à Dalia.

Comme dans un brouillard, elle leur dit au revoir.

— Accroche-toi à mes épaules, ajouta sa tante. Et quoi qu'il arrive, ne lâche pas prise!

Nory sentait la fraîcheur de l'air nocturne sur sa peau. La lune, à peine levée, brillait dans la nuit.

Tout en bas, les tours de l'académie Sage disparurent. Puis les lumières de la ville natale de Nory s'évanouirent à leur tour.

Nory et Margo volèrent au-dessus de masses noires qui semblaient être des forêts, et de masses noires qui ressemblaient à des édifices. Les routes étaient éclairées par des lampadaires et de minuscules voitures.

À un moment donné, une famille de corbeaux vola à leurs côtés. Nory tendit la main pour les toucher, mais ils descendirent en piqué.

Tante Margo n'était pas bavarde. Elle se concentrait.

Finalement, elles plongèrent vers les lumières d'une

ville à flanc de colline. De petites maisons munies de porches étaient blotties les unes contre les autres. Plusieurs étaient éclairées à l'intérieur.

Tante Margo atterrit dans un jardin rempli de fleurs derrière une très vieille maison minuscule en bois. Un écriteau vermoulu portant le mot « Bienvenue » était accroché à la porte.

— Voici ta nouvelle maison, déclara fièrement Margo. 14, rue du Trèfle, à Perlincourt.

Elle pointa vers la droite.

— À six rues par là et quatre rues plus loin se trouve l'École de Magie de Perlincourt.

— Quel genre d'école est-ce donc?

— C'est une *école*, dit tante Margo. Une école publique.

Nory vacilla sur ses jambes.

— C'est un endroit très bien, poursuivit sa tante. Pas prestigieux comme l'académie Sage, ce qui est une bonne chose, selon moi. Juste une école où tu pourras apprendre des tas de choses, te faire des amis et t'amuser.

— Oh, dit Nory. Mais sauront-ils quoi faire avec ma...

Elle ne put prononcer les mots : *ma magie déréglée?*

— Oui, répondit Margo. Ils ont un nouveau programme destiné aux élèves comme toi.

— Comme moi?

— Eh bien, pas *exactement* comme toi, car il n'y a qu'une seule Nory.

Elle lui sourit, comme si ce n'était pas un désavantage d'être aussi unique.

— Mais l'école vient de créer une classe pour les enfants qui ont des difficultés avec leur magie. C'est une nouveauté cette année! Excitant, non?

Des difficultés avec leur magie?

Oh, non.

Nory avait entendu des rumeurs sur des programmes de ce genre. Il y en avait quelques-uns à New York. Et un à Miami.

Elle allait fréquenter une classe spéciale pour les pires cas de mésadaptés.

— Et comment ça s'appelle? demanda-t-elle avec un mauvais pressentiment.

Tante Margo s'approcha de la porte et la déverrouilla.

— Le programme de magie marginale.

6

Tante Margo avait préparé une toute petite chambre d'amis pour Nory. Les murs étaient vert clair. Il n'y avait aucun jouet, matériel d'art ou photos de famille. Toutefois, une pile de livres de bibliothèque était posée près du lit en fer et un vase de roses de fin d'été ornait le bureau.

Le lendemain matin, Margo fit visiter le reste de la maison à sa nièce. Elle lui expliqua comment se servir de la télécommande du téléviseur. Elle colla un horaire de tâches ménagères sur le frigo. Puis elles allèrent à l'épicerie, où Margo demanda à Nory quelles étaient ses céréales préférées. Nory savait qu'elle aurait dû répondre

Flocons de fibres, car ç'aurait été le choix de son père. Mais il n'était pas là, n'est-ce pas? Il l'avait renvoyée de la maison délibérément. Alors, dans un élan de témérité, elle dit la vérité à sa tante :

— Délices fruités.

Tante Margo ne broncha pas. Elle acheta deux boîtes de Délices fruités, ainsi qu'une demi-douzaine de pommes et un contenant de crème glacée au chocolat.

— J'ai demandé au fils d'un voisin de t'accompagner à l'école pour ta première journée, demain, déclara-t-elle pendant le souper.

Elle avait commandé de la pizza.

— Qui est-ce?

— Il s'appelle Elliott. Je transporte sa mère au travail, dans un hôpital, à deux villes d'ici, expliqua Margo en avalant une bouchée de pizza. Elle commence tôt, alors je serai partie quand tu te réveilleras. Tu peux te préparer un bol de Délices fruités toi-même, n'est-ce pas?

— Bien sûr.

— N'oublie pas d'éteindre les lumières avant de partir. Oh, Elliott est aussi dans le programme de magie marginale. C'est super, non?

Non, Nory ne trouvait pas que c'était super. Il n'y avait absolument rien de super dans toute cette situation. Mais elle savait que Margo faisait preuve de gentillesse.

— Quel est le type de magie d'Elliott?

— Il est une Flamme. Et une Flamme inhabituelle, d'après ce que j'ai entendu. Je ne l'ai jamais vu en action. Il est... eh bien, tu comprendras quand tu le verras. Mais c'est un garçon très gentil. Il va venir te chercher à huit heures.

Le lendemain matin, Nory se réveilla dans une maison vide. Il lui fallut un moment pour se souvenir de tout. Et alors, son cœur lui parut vide, lui aussi.

Elle tenta de voir les choses du bon côté. Hubert n'était pas là pour l'obliger à porter une robe ou lui tresser les cheveux. Elle pouvait donc choisir ses propres vêtements.

Nory enfila son jean violet porte-bonheur et une veste à capuchon. Elle laissa ses cheveux ébouriffés flotter librement. À sept heures trente, elle était déjà prête, ce qui lui laissa assez de temps pour prendre son déjeuner, regarder des dessins animés et devenir de plus en plus terrifiée.

Est-ce que tout le monde se connaîtrait déjà depuis l'école ordinaire?

Peut-être que personne ne lui parlerait...

Et si elle ne se faisait aucun ami?

Si elle ne se faisait *jamais* d'amis et passait tous les dîners cachée dans les toilettes des filles en essayant de ne pas se transformer en caston?

On sonna à la porte. Nory sursauta, puis alla répondre. Le garçon sur les marches était grand et pâle, avec de belles dents bien droites et de longues jambes. Il avait les cheveux ébouriffés, lui aussi. Il avait la tête couverte de mèches frisées qui défiaient la gravité.

— Salut, je suis Elliott.

— Salut, dit Nory en s'obligeant à sourire.

— Tu as un sourire forcé, remarqua Elliott. Mais ce n'est pas grave. Moi aussi.

— Quoi?

— C'est le premier jour d'école. Peuh. Et c'est le premier jour de la classe de magie marginale. Tout le monde va nous regarder de travers.

Nory cligna des yeux.

— On fait officiellement partie des bizarroïdes, déclara Elliott en secouant la tête. Je connais déjà certains élèves de notre classe, et quelques-uns sont inquiétants. Les autres sont juste...

Nory ne savait pas quoi dire. Inquiétants et bizarres? Oh, pourquoi ne pouvait-elle pas aller à l'académie Sage?

— Viens, dit Elliott en descendant les marches d'un bond. J'ai vécu ici toute ma vie, alors je connais le chemin le plus court pour aller à l'école.

Le chemin le plus court est-il toujours le meilleur? aurait voulu demander Nory. Mais elle se retint, et ce fut Elliott qui l'accabla de questions. C'était un bavard.

— Quelle est ta crème glacée préférée?

— Chocolat.

Dalia et elle aimaient le chocolat. Hubert préférait le parfum aux pêches. Père ne mangeait pas de sucreries.

— Quel est ton animal favori?

— Le dragon, répondit Nory.

Elle n'en avait jamais vu, bien qu'elle ait failli en devenir un brièvement. Elle espérait aller en Australie un jour et en observer dans leur habitat naturel.

— Quelle est ta couleur préférée?

— Le violet.

— Ta tante m'a parlé de tes mélanges d'animaux. Est-ce effrayant?

Nory releva brusquement la tête. Il était au courant? Bien sûr que oui. Son père avait informé sa tante. Sa tante l'avait dit à l'école. Voilà comment elle avait été acceptée dans la classe de magie marginale.

— Oui, c'est effrayant, admit-elle.

— Peux-tu en faire des normaux?

— Parfois.

— Pourquoi es-tu noire alors que ta tante est blanche?

— Mon père est noir. Ma mère était blanche.

— Veux-tu me parler de ta mère?

— Non, merci.

Qu'aurait-elle pu lui dire? Que savait-elle vraiment? Elle avait si peu de souvenirs.

Toutefois, le garçon insista :

— Est-elle morte? C'est ce que j'ai entendu dire.

— On dirait que tu le sais déjà.

— Veux-tu me parler de ton père?

— Non.

— Veux-tu me parler de *quelque chose?*

Oh là là. Nory était désemparée. Elle n'était pas certaine de vouloir se confier à lui si vite. Ou jamais. Mais elle ne voulait pas le froisser. Elliott était sa meilleure chance de se faire un ami ici.

— Toc, toc, dit-elle.

— Qui est là? répliqua-t-il en souriant.

— Moi.

— Moi qui?

— Toc, toc, répéta-t-elle.

— Qui est là?

— Moi.

— Moi qui?

— Toc, toc.

— Qui est là?

— Miaou.

— Miaou qui?

Elle sourit.

— Juste miaou. Je me suis lassée d'attendre que tu ouvres la porte, alors je me suis transformée en chat.

Elliott ne dit rien. Il réfléchit.

Puis il éclata de rire.

Il avait un rire communicatif. Sonore et ponctué de

grognements.

Ils atteignirent le sommet de la colline, où s'élevait un édifice en briques entouré d'enfants. Elliott s'arrêta et fit un geste dramatique de la main.

— Nous y voilà. C'est l'École de Magie de Perlincourt. Regarde, c'est Andres. Il va *sûrement* être dans notre classe.

Il leva la tête vers un garçon à la peau basanée qui flottait dans les airs à quelques mètres de là. *Probablement latino*, se dit Nory. Il avait les cheveux hirsutes et portait un chandail rayé. C'était une Flèche, de toute évidence, mais il volait bien plus haut que n'importe quel débutant. Par moments, son corps avançait par à-coups et il agitait les bras. Une corde rouge était attachée à sa cheville. Une fille plus âgée tenait l'autre extrémité et bavardait avec ses amis.

— Il a une laisse? chuchota Nory.

— C'est sa sœur Carmen qui tient l'autre bout, expliqua Elliott. Veux-tu savoir pourquoi?

Nory hocha la tête.

— La veille de son dixième anniversaire, Andres s'est envolé dans les airs pendant le cours de maths. Juste comme ça. Sans le vouloir. Il y avait un ventilateur au plafond. Andres est monté droit dessus et ses cheveux se sont coincés dans les pales. Il a tournoyé trois fois, puis a été projeté dans un coin de la classe. Il n'a plus été capable de redescendre depuis ce jour. Il doit dormir au plafond, manger là-haut, tout! S'il n'était pas en laisse, il flotterait au loin comme un ballon gonflé à l'hélium.

Ça paraissait horrible.

— Pauvre Andres.

— Ouais. Personne ne passe de temps avec lui, maintenant, dit Elliott. C'est trop compliqué.

— Et toi, quel est *ton* problème? demanda Nory.

Le garçon éclata de rire.

— Tu veux dire, pourquoi je suis dans la classe de magie marginale?

— Oui.

— Mon problème, c'est que je suis une Flamme, mais que...

Il s'interrompit au milieu de sa phrase et attira Nory derrière un buisson.

— Je n'aime pas que les gens voient ça, murmura-t-il. Mais tu vas le voir de toute façon en classe, alors je vais te montrer.

Il prit une brindille et la tint à bout de bras. Un éclair de lumière enflamma la brindille.

Nory recula d'un bond pour ne pas se brûler. Mais c'était inutile. La brindille ne brûla qu'un instant. La flamme s'éteignit et le bout de bois se couvrit de glace.

De la glace?

— Je produis une étincelle, mais ensuite, ça gèle, gémit le garçon. Ou alors, ça ne s'allume pas du tout.

Nory toucha la brindille glacée et regarda Elliott avec émerveillement. Elle ne connaissait personne qui pouvait faire geler des objets. Elle n'avait jamais *entendu parler* de gens qui pouvaient réussir une chose pareille.

— Allons-y avant que la première cloche sonne, dit-il en l'entraînant hors du buisson. J'ai entendu dire que la bouffe de la cafétéria est dégueu et que le directeur est invisible. Aussi, il y a une récré chaque jour après le repas du midi et personne n'est censé aller dans la zone boisée. Mais il paraît que tout le monde y va quand même. Les dames de la cafétéria ne surveillent pas vraiment. Oh, et méfie-toi de Pepper. Pepper sera *certainement* dans notre classe, ce qui n'est pas une bonne chose.

— Ah non? Pourquoi?

— Pepper est une Fourrure détraquée. Ce qu'on appelle les Féroces. Il n'y a eu que deux Féroces dans toute l'histoire, je crois. Extrêmement bizarre. Je le sais parce que je suis allé à l'école ordinaire avec Pepper. Le jour où ses pouvoirs sont apparus... *pow!*

Le cœur de Nory battait la chamade.

— Qu'est-il arrivé?

— Une débandade, des hurlements, de l'urine sur le tapis. Nos voisins ont des chèvres et Pepper les a fait fuir par la barrière. Je connais des gens qui avaient un chien, et Pepper l'a tellement terrorisé qu'il s'est caché durant deux semaines. Quand il est revenu à la maison, il essayait constamment de mordre ses maîtres. Pepper l'a terrifié au point de le rendre perpétuellement méchant. Ils ont dû se débarrasser de leur chien.

— Oh, dit Nory en frissonnant.

— J'ai aussi entendu parler de chevaux qui pleuraient, de chats qui essayaient de se cacher dans des trous de souris.

— Que font les Féroces aux Fluides? demanda-t-elle. Par exemple, si un Fluide est sous une forme animale et que Pepper arrive, que se passe-t-il?

— Le Fluide serait terrifié, comme n'importe quel autre animal.

— Et s'il est sous sa forme humaine?

— Je ne sais pas. C'est probablement aussi pire. Je suis humain et Pepper me terrifie, dit Elliott.

Nory se demanda si elle pourrait survivre à cette classe.

Ils étaient presque arrivés à l'escalier menant à la porte de l'école quand Elliott s'écarta soudain vers la gauche.

— Je viens de voir mes amis Flammes de l'école ordinaire, lança-t-il par-dessus son épaule. Je ne les ai pas vus de l'été. Ils doivent s'ennuyer de moi! Tu vas te débrouiller, hein? On se verra en classe.

Nory n'était pas certaine de pouvoir se débrouiller, mais avant qu'elle puisse répliquer, il avait disparu dans la foule.

Sa première journée. Des centaines d'élèves.

Et une seule Nory.

Bon. Inspire profondément. Tu es capable. Ce ne sera pas si difficile. Ça risque même d'être amusant.

Il fallait qu'elle demeure positive.

À partir d'aujourd'hui, elle allait apprendre de nouvelles choses et se faire de nouveaux amis.

Je vais y arriver.

La tête haute, elle entra dans l'école.

7

Les couloirs de l'École de Magie de Perlincourt ne ressemblaient pas aux couloirs familiers de l'ancienne école ordinaire de Nory. Et ils n'avaient rien à voir avec les couloirs élégants de l'académie Sage non plus. Ici, les planchers étaient couverts de linoléum. Les murs étaient blancs et des extincteurs étaient accrochés à tous les deux mètres. D'énormes écriteaux annonçaient les règles en grosses lettres noires :

PAS DE FEUX SAUF DANS LE LABO DES FLAMMES

PAS DE VOLS SAUF DANS LA SALLE DES

FLÈCHES OU DANS LA COUR.

LES FORMES HUMAINES VISIBLES DOIVENT ÊTRE ADOPTÉES

EN TOUT TEMPS DANS LES COULOIRS.

LES AMIS ANIMAUX NE SONT PAS TOLÉRÉS.

Toutefois, certains élèves ne respectaient pas ces règles. Deux grands garçons Fourrures avaient des souris dans la poche de leur veste. Plusieurs Flèches flottaient à soixante centimètres du sol en discutant de leurs vacances d'été. Lorsque Nory tourna au bout du couloir, elle faillit trébucher sur trois chatons noirs qui déguerpirent comme s'ils craignaient pour leur vie.

Ils ont peut-être vu Pepper, pensa-t-elle. *Pauvres petits chatons.*

Un peu plus loin, elle aperçut une fontaine. Puis elle ne la vit plus. Elle avait disparu. Peu après, une fille passa tout près. Un jet d'eau surgit de la fontaine invisible et trempa le chandail de la fille. Elle fronça les sourcils et s'adressa au vide :

— Jeremy Huang, je sais que c'est toi!

Nory ne pouvait pas voir ce Jeremy, mais elle entendit son rire.

Il ne semblait pas y avoir d'adulte dans les parages pour l'empêcher de jouer ce tour.

Nory se promit de demeurer à au moins un mètre et demi de toutes les fontaines.

Cette école était un véritable labyrinthe. Plus elle avançait, plus elle était désorientée. Où était-elle censée aller? Quel était le numéro de sa classe, déjà? Margo le lui avait dit hier soir, mais ça semblait si loin, à présent. Elle ne s'en souvenait plus.

Une fille Flamme portant des bougeoirs enflammés la dépassa en riant à gorge déployée. Nory s'écarta brusquement. En tournant au bout du couloir, elle dut se pencher pour éviter une chauve-souris.

Ahhhh!

Elle n'était dans cette école que depuis dix minutes et avait déjà besoin d'une pause. Elle regarda autour d'elle et vit une porte sur laquelle il était écrit « Placard d'approvisionnement ».

Elle ouvrit la porte avec précaution et trouva... un placard bien ordinaire. Fiou! Elle pouvait s'y réfugier une minute. Sans que personne ne la remarque, Nory se glissa à l'intérieur en poussant un soupir. L'espace était sombre, mais pas complètement noir. Il y avait une fenêtre dans le haut de la porte. Elle vit des balais, des vadrouilles et des seaux au fond. Des étagères de métal chargées de produits de nettoyage couvraient les murs. Une vingtaine d'extincteurs et un nombre extravagant de sacs de litière étaient posés par terre.

Nory s'écroula sur le sol. Ramenant ses jambes vers sa poitrine, elle y appuya ses bras croisés.

Respire à fond, se dit-elle. *Essaie de demeurer positive. D'accord?*

— Veux-tu un bonbon au citron?

Nory releva vivement la tête et scruta la pénombre.

Une fille surgit de derrière une vadrouille. Elle était petite et avait un joli visage rond aux traits asiatiques. Ses cheveux noirs épais étaient noués en deux couettes et elle portait une robe en denim ample. On aurait dit un vêtement de seconde main.

La fille sortit un bonbon d'une petite boîte jaune et l'offrit à Nory.

— Pourquoi te caches-tu ici?

— C'est ma première journée, tenta d'expliquer Nory.

Elle mit le bonbon au citron dans sa bouche. Il avait un bon petit goût suret.

— Moi aussi.

— Et ça ne ressemble vraiment pas à mon école ordinaire, poursuivit Nory. C'est tellement grand! Il y a plein d'animaux. Et des fontaines invisibles. Et un million d'extincteurs. Une chauve-souris a failli me heurter la tête. Je me suis perdue et je ne pouvais plus trouver ma classe.

La fille hocha la tête.

— J'ai été enfermée dans un casier, dit-elle. Trois Fugaces de huitième année m'ont rendue invisible. Puis ils m'ont enfermée dans un casier et m'ont juste laissée là.

— C'est horrible!

— Je suis plutôt petite, admit la fille. Ça devait être tentant.

— Comment es-tu sortie?

La fille poussa un soupir.

— Le directeur Gonzalez est un Fugace. Il m'a entendue donner des coups dans le casier. Il a ouvert la porte, m'a fait redevenir visible et m'a dit d'aller en classe. Mais j'ai vu ces gars de huitième année qui cherchaient d'autres victimes dans le couloir, alors je me suis cachée ici.

— Je dois aller dans la classe de magie marginale, déclara Nory, s'étonnant elle-même. Tout le monde dans cette classe va être bizarre. Peux-tu imaginer une pire situation? Les enfants normaux vont se moquer de nous toute l'année, j'en suis sûre.

La fille hocha la tête.

— La classe de magie marginale. Ils m'ont aussi mise dans cette classe.

— *Vraiment? Pourquoi?*

La fille consulta sa montre.

— Les cours commencent dans une minute, dit-elle en tendant la main pour aider Nory à se relever. Tout va bien aller. J'espère. Allons-y.

Elles sortirent du placard. Nory demeura près de sa nouvelle amie en marchant dans le couloir.

Elles s'arrêtèrent devant une porte.

— Local 151, dit la fille. La classe de Mme Starr. C'est ici.

Nory lui prit le bras.

— Hé, méfie-toi d'un élève appelé Pepper, chuchotat-elle. C'est un Féroce et il n'y en a que deux dans le monde entier. Il est super dangereux, même pour les humains.

La fille eut l'air stupéfaite.

— Quoi?

— On devrait s'asseoir ensemble, dit Nory. D'accord? On se protégera mutuellement. De Pepper.

La fille la regarda avec une drôle d'expression et ouvrit la porte.

La classe était claire et ensoleillée. Il y avait huit pupitres d'un côté et un grand tapis de l'autre. Des matelas étaient enroulés dans un coin et plusieurs parapluies jaunes étaient appuyés contre le mur. Une grande armoire à la porte vitrée était remplie de ce qui semblait être des chandails aux couleurs vives. Une autre armoire contenait des fournitures d'art. Une étagère était couverte de livres en format poche. Une affiche au mur déclarait : *Te souviens-tu de l'élève qui a abandonné? Personne ne se souvient de lui.*

Il y avait des extincteurs sur tous les murs, mais au moins, c'était une pièce gaie.

Dès qu'elles entrèrent, Mme Starr s'avança vers les deux filles. Elle avait une posture impeccable et portait du rouge à lèvres de couleur vive. Sa peau était plus foncée que celle de Nory et ses cheveux étaient coiffés en chignon. Son cardigan jaune vif était assorti à sa blouse à pois jaunes. Elle fit entrer Nory et la fille aux bonbons dans la classe.

— Nos deux dernières élèves! s'exclama-t-elle. Bienvenue à vous deux. Je suis Mme Starr.

Nory regarda ses camarades. Les huit pupitres étaient disposés en deux rangées de quatre. Deux filles et deux garçons étaient assis à l'avant. Elliott était assis seul à la dernière rangée. Il fit signe à Nory qui répondit par un sourire. Les trois pupitres près de lui étaient vides.

Andres flottait au plafond, avec sa laisse rouge, qui pendait. Un des pupitres vides était probablement le sien. Cela laissait deux pupitres : un pour Nory et un pour la fille aux bonbons. Tous les élèves étaient donc arrivés. Huit pupitres, huit élèves.

Nory observa les deux garçons de la première rangée en se demandant lequel était Pepper. L'un était un grand garçon blond au visage rougeaud couvert de taches de rousseur et aux sourcils épais. Des sourcils menaçants. Il portait un maillot de sport. L'autre était un garçon mince et musclé à la peau foncée. Il avait les cheveux courts et son jean était troué. Affalé sur sa chaise, il faisait tourner un crayon entre ses doigts.

Nory supposa que le grand garçon blond était Pepper. Elle avait déjà peur de lui.

Mme Starr serra la main de Nory.

— Tu es Elinor Horace, c'est bien ça?

— Oui, mais tout le monde m'appelle Nory.

— Les enfants, dites bonjour à Nory Horace.

— Bonjour, Nory Horace.

Mme Starr se tourna vers la fille aux bonbons.

— Et te voici également, dit-elle en lui souriant comme si elle la connaissait déjà et l'aimait bien. Les enfants, dites bonjour à Pepper Phan.

— Bonjour, Pepper Phan.

Nory avala sa salive.

Pepper?

Mme Starr vient-elle de dire « Pepper »?

Le garçon aux allures de brute n'était pas Pepper le Féroce.

La fille aux bonbons au citron était Pepper la Féroce.

La vision de Nory s'embrouilla et son cœur se mit à battre plus vite. Son corps commença à fourmiller.

Oh, non. Oh, non.

Fourrure. Queue. Griffes. Dents.

Et Élinor Boxwood Horace se transforma en caston pendant la toute première période de sa toute première journée d'école.

8

Nory ne fut un caston qu'une seule minute, mais durant cette minute, elle fut très active. Elle mâchonna un des livres de Mme Starr et renversa les tournesols sur son bureau. Elle courut trois fois autour de la classe et décida de construire une autre hutte. Mais quand elle tenta de ronger une patte de la chaise de Mme Starr, le goût du métal lui fit reprendre sa forme de Nory.

S'il vous plaît, faites que ce soit un cauchemar, se dit-elle en constatant qu'elle était sous le bureau de l'enseignante.

— Qu'est-ce que c'était que ça? fit une voix.

— Peu importe ce que c'était, ce n'était pas normal, répliqua une autre voix.

— Ça avait des dents de castor.

— C'était trop petit pour être un castor.

— L'arrière était noir et duveteux.

— On ne l'a pas vu assez longtemps pour l'identifier.

— Maintenant, on sait ce qui cloche chez elle!

Puis la voix de Mme Starr :

— Les enfants, c'est une occasion d'apprendre la première leçon de magie marginale. Il n'y a rien qui *cloche* chez aucun d'entre vous. Nous n'utiliserons pas ce genre de terme pour nous décrire.

— Bizarre, dans ce cas.

— Nous n'utiliserons pas ce mot non plus. Ce n'est ni poli ni gentil. Au lieu de cela, nous dirons *différent* ou *marginal*.

Nory sortit de sous le bureau. Tous les visages étaient tournés vers elle. Certains avaient une expression soucieuse. D'autres étaient juste curieux.

— Je vais bien, dit-elle, rouge de honte. Désolée.

— As-tu besoin d'aller voir l'infirmier? demanda l'enseignante.

— Non, dit Nory. Ça m'arrive de temps à autre. Tout va bien.

— Bon, nous sommes tous ici pour trouver comment maîtriser notre type de magie dans diverses situations, même les moments de stress, déclara Mme Starr. Et la première journée d'école est stressante pour nous tous. Même pour moi! Nory, tu as fait une démonstration impeccable de ton type de magie, et c'est ainsi que je voulais commencer la journée.

Elle fit signe aux élèves de se rasseoir. Nory choisit le pupitre à côté d'Elliott.

Mme Starr alla à l'avant et s'assit d'un bond sur son propre bureau.

— Je suis très heureuse d'être ici! Je viens de terminer ma formation en magie marginale (MM) et j'ai très hâte de travailler avec vous cette année. Savez-vous que c'est le premier cours de MM offert à Perlincourt? C'est très excitant!

Elle balançait les pieds et ses souliers de course jaune vif fendaient l'air.

— Quant à vous, vous êtes ici parce que quelqu'un estime que c'est votre place. Parce qu'on vous a traités de bizarres ou de détraqués. Ou pire encore.

— Rien de mieux qu'un message positif pour commencer la journée, chuchota Elliott à Nory.

— Mais vous savez quoi? dit Mme Starr avec un grand sourire. On m'a déjà aussi traitée de détraquée ou de bizarre! Et je parle par expérience quand je vous dis qu'il existe des façons de tirer profit de votre magie, qu'elle soit typique ou non. Je suis ici pour vous aider à entrer en contact avec votre vraie nature, à comprendre vos émotions et à développer vos talents. C'est dans cet esprit que je vous invite à montrer votre magie aux autres.

Son attitude était enjouée, comme si elle partageait un secret avec la classe. Un secret *précieux*.

Elle se tourna vers le garçon blond aux gros sourcils, qui n'étaient pas si menaçants, finalement. Il avait des yeux ronds et sérieux et une mèche de cheveux rebelle sur la tête. Il avait l'air gentil, mais nerveux.

— Sébastien? demanda Mme Starr. Aimerais-tu commencer? Parle-nous de toi et de ta magie.

Sébastien se leva. Sa chaise racla le plancher.

— Je m'appelle Sébastien. Je suis un genre de Fugace.

Sauf que je ne peux pas me rendre invisible. Et je ne peux pas rendre les objets invisibles non plus.

— Que peux-tu faire, alors?

— Je vois les ondes sonores. Elles sont invisibles pour la plupart des gens.

— Y a-t-il des ondes sonores qui émanent de moi? demanda Mme Starr.

— Si ce n'était pas le cas, vous seriez morte, répondit Sébastien, qui eut l'air surpris quand des élèves éclatèrent de rire. Qu'est-ce qu'il y a de drôle? Les ondes sonores sont *très* importantes. Quand vous parlez ou que vous respirez, ou quand votre cœur bat? Les ondes sonores ondulent. Elles circulent partout dans la pièce.

Il agita les mains frénétiquement.

— *Zoum!* Elles se chevauchent constamment. C'est très complexe.

— À quoi ça sert? demanda l'autre garçon dans la première rangée.

Nory trouva son ton impoli. De plus, il portait un t-shirt orné d'un crâne. Elle se dit qu'il avait dû choisir ce t-shirt délibérément pour annoncer ses couleurs. Le type de gars à arborer une tête de mort sur ses vêtements.

— Voir des ondes sonores, poursuivit-il. Quel avantage ça te donne?

— Elles sont partout autour de nous, répondit Sébastien.

— Et puis?

— Je vois d'autres trucs invisibles, aussi.

— Si tu le dis, répliqua le garçon.

Nory se sentit déprimée. D'abord, Elliott l'avait abandonnée pour ses amis Flammes.

Ensuite, la fille qu'elle trouvait sympa s'était révélée être Pepper la Féroce.

Puis elle s'était transformée en caston devant toute la classe.

Enfin, le garçon à la tête de mort était méchant.

Cette journée n'avait pas vraiment d'aspect positif.

— Merci, Sébastien, dit Mme Starr. Je sais que ce n'est pas facile de passer en premier.

Elle se tourna vers son voisin, le gars au t-shirt.

— Bax? Veux-tu y aller maintenant?

— Non.

Nory s'attendait à ce que l'enseignante l'y oblige, mais elle sourit gentiment.

— Pas de problème. On reviendra à toi plus tard. Et toi, Elliott?

Ce dernier se leva. Il se tortilla en lissant ses cheveux ébouriffés.

— Flamme, déclara-t-il.

— Flamme et... insista Mme Starr.

— Flamme et Frimas, répondit-il, les yeux baissés.

— Pourrais-tu faire une démonstration? demanda l'enseignante d'une voix excitée. Tiens, voici un verre d'eau. Peux-tu le faire geler?

— Je peux faire des trucs habituels de Flamme, aussi. Enfin, quelques-uns.

— Tu nous montreras ça plus tard. Commençons par la glace.

Elliott agita la main. L'eau gela instantanément. Puis la glace remonta sur la main de l'enseignante et s'infiltra sous sa manche.

— Arrête, Elliott! s'écria-t-elle.

Le garçon arrêta avant que la glace n'atteigne son cou. Il se couvrit le visage de ses mains.

— C'est tellement bizarre! Je suis désolé!

— On ne dit pas bizarre, on dit *différent*, le corrigea

Mme Starr. Les amis, Elliott est une Flamme inversée. Réfléchir sur la notion de contraires est une bonne façon d'aborder la magie marginale.

Tout en parlant, elle enleva son cardigan gelé et en sortit un autre d'un placard.

— Je suis bien préparée! dit-elle joyeusement. C'est l'une des choses qu'on nous enseigne durant la formation de magie marginale.

Elle enfila le nouveau cardigan, qui était d'un orange éclatant.

— Merci d'avoir partagé cela avec nous, Elliott. Andres, es-tu prêt?

Tout le monde leva les yeux.

— Je pense que les effets de ma magie sont évidents, dit-il d'un ton sinistre.

Avec un grognement, il poussa sur le plafond. Son corps flotta vers le bas, descendant de trente centimètres. Puis il remonta vers le plafond comme s'il était tiré par une ficelle de yo-yo. Il rebondit à quelques reprises avant de s'immobiliser dans les airs.

La fille près de Nory leva la main. Elle avait la peau claire et ses cheveux foncés étaient noués en queue de cheval. Elle portait un pantalon original à rayures rouges et noires et de grandes bottes. Nory aperçut un appareil auditif dans son oreille.

— Qu'arrive-t-il quand tu vas dehors? demanda la fille à Andres.

— J'ai une laisse. Vous avez sûrement vu ma sœur m'accompagner à l'école.

— Que se passerait-il si elle t'échappait? insista la fille.

— Je ne sais pas et je ne veux pas le savoir, répondit Andres.

Quelle horrible magie! songea Nory. *Au moins, quand je me métamorphose en caston, je peux redevenir moi-même.*

Elle n'eut pas le temps de le plaindre longtemps, car Mme Starr passa à quelqu'un d'autre. Pepper se leva, les yeux fixés sur le sol.

— Ne t'inquiète pas, Pepper, dit l'enseignante. Ça va bien aller.

Pepper courba les épaules. Elle marmonna des mots que Nory ne comprit pas.

— Une démonstration serait préférable, dit gentiment

Mme Starr. As-tu besoin d'un volontaire? Un Fluide, peut-être, puisque ta magie agit sur les animaux? Je peux faire venir des élèves de septième année.

Elle prit le téléphone, et moins d'une minute plus tard, deux élèves de septième année entrèrent dans la pièce. Un garçon et une fille.

Pepper soupira.

— Nous sommes tous ici pour toi, Pepper, l'encouragea l'enseignante. N'aie pas peur.

— Très bien, déclara la jeune fille. L'un d'entre vous peut-il devenir un crocodile?

Les deux élèves secouèrent la tête.

— C'est très avancé, expliqua la fille.

— Et un ours?

— Aucun gros carnivore avant la fin du secondaire, déclara le garçon.

— En cinquième année, on a fait des chatons de toutes les couleurs, ajouta la fille.

— Je préférerais un animal ni petit, ni mignon, marmonna Pepper. Plus l'animal est gentil, pire je me sens.

— Les chatons conviendront très bien, interrompit

Mme Starr. Allez-y.

Comme si elle avait actionné un interrupteur, les deux élèves de septième se changèrent en petits chatons, un roux et l'autre tacheté.

Ces chatons sont parfaits, pensa Nory avec une pointe de jalousie. *Des moustaches parfaites, des rayures et taches parfaites... Aucune trace de dragon nulle part.*

Pepper s'agenouilla lentement devant eux. Elle tendit la main comme font les gens pour convaincre un chat qu'ils ne lui veulent pas de mal : « *Il n'y a pas de danger, tu vois? Viens me flairer!* »

La queue du chaton tacheté se dressa dans les airs et ses pattes se raidirent. Il poussa un horrible hurlement perçant, puis s'enfuit de la classe.

Le chaton roux se tapit et cracha. Il tenta de s'échapper en grimpant au mur, ses minuscules griffes grattant la peinture blanche.

Pepper était clairement l'animal le plus terrifiant que ces chatons pouvaient imaginer.

Mme Starr toussota.

— Bon. Très bien. Merci de nous avoir montré ton pouvoir, Pepper. Laisse-les se détendre, maintenant.

— Je ne peux pas! dit désespérément la jeune fille. Je ne peux pas l'arrêter. Ils continuent de me détester.

— Hum, dit la femme. Pepper, pourrais-tu aller dans le couloir? Tout au fond du couloir? Jusqu'à ce que tout le monde se calme?

Deux taches de couleur apparurent sur les joues de Pepper, qui se glissa furtivement hors de la classe.

9

Il fallu dix minutes à Mme Starr et à l'enseignante de septième année pour faire descendre le chaton orange du haut du placard. Le chaton tacheté s'était enfui dans le couloir, mais heureusement il fut retrouvé sous un radiateur. Maintenant que tout était rentré dans l'ordre, Pepper était revenue et s'était affalée sur sa chaise.

Mme Starr déclara :

— Les choses qui valent la peine sont souvent difficiles. Mais bon, le travail ne nous fait pas peur, n'est-ce pas ?

— Je suis ici pour travailler avec vous. Avec vous

tous, poursuivit leur enseignante.

Après un hochement de tête, comme si cela réglait tout, elle ajouta :

— Marigold, c'est ton tour.

La fille à l'appareil auditif se leva.

— Je m'appelle Marigold et mes parents vivent à trois heures d'ici. J'ai emménagé chez mes grands-parents pour pouvoir profiter de ce programme. Mes grands-parents me laissent regarder la télé autant que je veux, alors c'est plutôt génial. Mais je m'ennuie de ma famille.

Moi aussi, pensa Nory.

Marigold continua :

— Je ne suis pas une inversée. Je suis...

Peu importe ce qu'elle était, elle ne trouvait pas les mots pour le décrire. Ou alors, elle ne voulait pas les prononcer à haute voix.

— Ça va, dit Mme Starr. Montre-nous seulement ta magie.

— Si vous insistez.

Marigold toucha sa chaise, qui commença à rapetisser. Elle devint de plus en plus petite, jusqu'à ce que... Oh! Ils ne pouvaient plus la voir du tout!

— J'ai rétréci mon lit, et maintenant, je dois dormir sur un matelas gonflable, raconta Marigold. J'ai rapetissé la voiture de mon grand-père et il doit maintenant utiliser son vélo. Cette année, j'espère apprendre comment faire grossir les objets. Ou du moins, contrôler le rétrécissement.

— Sans blague? se moqua Bax, le garçon impoli qui ne voulait pas montrer sa magie. Tu rétrécis les choses, ce qui les gâche complètement, et tu ne sais pas comment les réparer?

Mme Starr tapa des mains.

— Elle ne le sait pas *encore*. Nous allons travailler là-dessus ensemble, Marigold.

La jeune fille hocha la tête en se mordant la lèvre. Puis, comme sa chaise était trop petite pour qu'on la voie, elle s'assit par terre.

— Willa, c'est à toi, déclara l'enseignante.

La fille se leva. Elle avait l'allure d'un lutin blond à la peau blanche, avec des coudes et des genoux pointus. Ses cheveux formaient un rideau pâle et luisant, et elle avait des broches plein la bouche.

— Je peux faire pleuvoir, dit-elle.

— Willa est une autre Flamme inversée, expliqua

Mme Starr. C'est intéressant, hein, Elliott?

— Peux-tu allumer des feux? demanda-t-il à Willa.

— Non.

— Concentrons-nous sur les aspects positifs, intervint l'enseignante. Fais pleuvoir pour l'instant, et je suis certaine que tu pourras faire davantage plus tard. Avons-nous besoin de parapluies?

Willa hocha la tête.

— Encore une fois, je suis préparée! s'écria la femme en se dirigeant vers les parapluies jaunes dans le coin.

Elle en distribua à chaque élève.

— Nous sommes prêts, Willa! déclara-t-elle.

Nory sentit sa dépression se dissiper légèrement. Si Willa pouvait faire pleuvoir, c'était un don important. Elle pouvait aider les récoltes à croître, faire pousser des plantes dans les déserts arides, aider les animaux. Un talent de pluie pouvait être très *utile*. C'était peut-être inusité, mais personne ne pouvait qualifier cela de bizarre.

Elle ouvrit son parapluie juste à temps. La pluie se mit à tomber du plafond, trempant la pièce et ruisselant sur les parapluies.

— Le plancher est tout mouillé, dit Elliott.

— Et le tapis, ajouta Marigold.

— Tous nos papiers aussi, dit Bax. Et les livres.

— C'est plutôt génial, par contre, murmura Nory en admirant une goutte de pluie sur le bout de sa chaussure.

— Vraiment? dit Andres. Tu trouves?

Son parapluie était à l'envers et rempli d'eau de pluie. Il était devenu lourd et tirait le haut de son corps vers le bas pendant que ses pieds demeuraient au plafond. Le pauvre garçon était trempé.

Willa arrêta la pluie.

— Désolée, dit-elle. Ça se termine toujours mal. Je peux seulement le faire à l'intérieur, alors ça ne sert pas à grand-chose.

— Restons positifs, d'accord? dit Mme Starr. Chaque jour est une aventure, et Willa a un talent inhabituel et remarquable. Nous allons appeler le concierge. Andres, je vais voir si je peux te trouver des vêtements secs.

Elle prit le téléphone pour appeler le concierge. Après avoir raccroché, elle déclara :

— Le problème est réglé. Mais dorénavant, apportons tous des vêtements de rechange que nous laisserons dans nos casiers, d'accord? Ce sera plus facile ainsi, avec Willa, Marigold et Elliott parmi nous. Les classes de Flammes doivent faire la même chose, vous savez. Et ils ont besoin d'onguents pour les brûlures! Alors, considérons-nous comme chanceux.

— Je peux allumer des feux, dit Elliott. Vous ne m'avez pas donné l'occasion de le montrer.

Les élèves fermèrent leur parapluie et restèrent debout à côté des pupitres mouillés.

— Il ne reste que toi, Bax, dit Mme Starr en souriant au seul élève qui n'avait pas révélé sa magie. Es-tu prêt à nous montrer ton talent?

— Non, répondit-il.

— Allons, Bax, insista-t-elle d'un ton ferme, mais amical. Nous allons tous te soutenir et nous t'aiderons à atteindre le meilleur de toi-même. La classe de magie marginale est basée sur la confiance.

— Je ne crois pas que je devrais, dit le garçon.

— Je ne suis pas d'accord. On pourrait commencer par en parler? J'ai vu sur tes papiers que tu es un Fluide marginal, comme Nory.

— Hum.

— Nory nous a montré un très intéressant...

Elle s'interrompit pour sourire à Nory.

— Qu'est-ce que c'était, déjà?

— Un caston, répondit-elle. Un Castor-Chaton.

— Un *charmant* caston, dit l'enseignante. Après cela, je crois que nous sommes prêts à tout. Alors, Bax?

Le garçon se mit la tête entre les mains.

— Quand tu voudras, ajouta-t-elle.

— Bon, marmonna-t-il.

Nory entendit un *wouch* pendant que Bax se transformait en énorme roche. Le sol trembla quand il tomba de sa chaise, sur le plancher.

— Holà! dit Willa.

— C'était une belle onde sonore, ajouta Sébastien.

— Il est une *roche*, dit Nory, abasourdie.

Elle n'avait jamais connu de Fluide qui se transformait en pierre, en plante ou autre chose qu'un animal. Elle n'en croyait pas ses yeux.

— C'est très impressionnant! dit Mme Starr en sautant de son bureau pour marcher autour de Bax, admirant la perfection de cette transformation. Que du roc, plus de garçon! Très bien, Bax. Comment te sens-tu?

Bax resta là sans bouger.

Mme Starr rit.

— Bon, tu as démontré ta magie. Reprends ta forme humaine, s'il te plaît.

Bax resta immobile.

— Bax? dit l'enseignante en le secouant. Saperlotte, je crois qu'il est coincé.

Il fallut quatre personnes pour le faire rouler dans le couloir jusqu'au bureau de l'infirmier. M. Riley était un homme grassouillet qui portait un sarrau orné de licornes. Il sembla surpris de voir Bax, mais demeura confiant et promit de le remettre sur pied avant la fin du dîner.

Nory suivit le reste de ses camarades à la cafétéria. *Voilà la classe de magie marginale*, se dit-elle. *Un Frimas, une Féroce, une fille qui rapetisse les objets, une fille qui mouille tout, un garçon qui voit des ondes sonores, deux Fluides détraqués et une Flèche qui ne peut pas descendre du plafond.*

Elle prit sa centième grande inspiration de la journée.

Elle voulait regarder les choses du bon côté... mais dans la position où elle se trouvait, elle n'arrivait pas à en voir un seul.

10

Dans la cafétéria, Nory et Elliott choisirent le macaroni au fromage. Au comptoir à salades, Elliott prit des concombres et Nory des tomates cerises. Il était le genre de gars à manger un seul légume, tout comme elle était une fille à manger un seul légume. Bon, les tomates n'étaient pas *vraiment* un légume, comme aimait le souligner son père, mais presque. Par ailleurs, Elliott et elle avaient tous deux des cheveux volumineux. Nory sourit à cette pensée. Un seul légume et des cheveux volumineux : deux points en commun, en plus de la magie marginale.

— Viens donc t'asseoir avec mes amis Flammes de

l'école ordinaire, proposa-t-il.

Nory le suivit jusqu'à une table où se trouvaient deux filles et un garçon. Les filles avaient des carottes *et* du céleri *et* du brocoli à côté de leur plat de macaroni. Le garçon mangeait une immense portion de macaroni au fromage sans légumes.

— Salut, dit Elliott en déposant son plateau. Voici Nory. Elle vient de déménager par ici. Nory, voici Lara, Zinnia et Rune. Notre groupe s'appelle les Étincelles.

Nory fronça les sourcils, car Lara lui semblait familière.

— Tu vas trouver ça etrange, mais est-ce que je te connais? demanda-t-elle.

— Non, tu ne me *connais* pas, dit froidement la fille. Mais tu m'as déjà *embêtée*.

Zinnia s'efforça mollement de réprimer un gloussement.

Nory s'assit à la table et observa Lara attentivement.

Les cheveux coupés court.

Des pieds et des mains minuscules.

D'énormes lunettes noires de la taille de gros biscuits.

— Oh! s'exclama Nory. Tu étais devant moi dans la file

à l'académie Sage! Tu n'as pas été acceptée toi non plus!

Lara eut un grognement méprisant, piqua un morceau de brocoli avec sa fourchette et répliqua :

— Voyons. Bien sûr que j'ai été acceptée.

— Mais...

— J'ai décidé de ne pas y aller. Je voulais rester à Perlincourt et faire des trucs de Flammes avec mes meilleurs amis.

Nory ouvrit la bouche pour rétorquer, puis se ravisa. Elle repensa au père de Lara qui lui faisait répéter le processus pour griller des guimauves. Elle se souvint de la panique de la jeune fille quand son nom avait été appelé, et ses sanglots quand elle s'était enfuie dans le couloir.

Lara mâcha le morceau de brocoli. Elle le mâcha si agressivement que cela semblait une déclaration de guerre. Elle avala et déclara :

— J'ai entendu parler de *toi*, par contre. La fille du directeur, trop bizarre pour entrer dans l'école de ton père.

Nory eut l'impression de recevoir un coup de poing dans le ventre.

— On ne dit pas *bizarre*, précisa-t-elle. On dit *marginal*.

— Ha! fit Zinnia.

— J'aime ça, ajouta Rune. C'est adorable.

Elliott rougit et baissa les yeux sur son assiette.

— Hé, vous souvenez-vous de la bataille de bouffe en quatrième année? Avec les hamburgers?

— Épique, dit Rune.

— Ouais, pour des jeunes de quatrième, rectifia Zinnia.

— C'est différent, maintenant, dit Lara. On est des Étincelles.

— Je sais, répliqua Elliott. C'est moi qui ai trouvé ce nom. Peuh.

— Et c'est un nom parfait... pour *nous*, reprit Lara en désignant Rune, Zinnia et elle-même. *Nous* sommes les Étincelles. Toi, tu t'es avéré... un Givré?

Elle éclata de rire, imitée par ses amis.

Le sourire d'Elliott s'évanouit.

— Tu dois t'en aller, ajouta Lara en prenant une bouchée de carotte. Tu te ridiculises et tu ne t'en rends même pas compte.

— Et quand tu te ridiculises, tu nous mets dans l'embarras, renchérit Zinnia.

Elliott se tourna vers Rune, en quête de son soutien.

— Heu... marmonna son ami.

— *Rune*, dit Lara.

Rune se frotta la nuque.

— On a essayé de se débarrasser de toi tout l'été. Désolé, Elliott.

— On a tenté de te le dire gentiment, mais tu n'as pas voulu comprendre, ajouta Zinnia.

Lara prit une petite gorgée de lait.

— Voilà pourquoi on a dû faire fondre tes pneus de vélo.

— Épique, dit Rune avec un gloussement.

Elliott releva brusquement la tête.

— C'était vous? Ouais. Épique, en effet, dit-il avec un rire forcé. Le truc du vélo, je ne m'en serais jamais douté.

— Alors, laisse-nous tranquilles, dit Lara. Honnêtement, Elliott, tu ne comprends pas vite. Pas étonnant qu'ils t'aient mis dans la classe MM.

Un fourmillement familier parcourut l'échine de

Nory. Sa vision s'embrouilla.

Non, non, non! Reste humaine! Ne te transforme pas dans la cafétéria!

Il était trop tard. Nory n'était plus sur sa chaise. Elle était par terre. Ses mains n'étaient plus des mains. Elles étaient couvertes d'une fourrure noire épaisse et pourvues de griffes acérées.

Oh, zut!

Elle connaissait cet animal. Elle l'avait déjà fait.

C'était une mouffette.

Éloigne-toi. Laisse-les tranquilles, pensa Fille-Nory.

Mais Mouffette-Nory ne recula pas. Elle était trop fâchée. Comment osaient-ils être aussi méchants avec Elliott?

C'étaient des ennemis. Des ennemis sans poils. Et elle était une mouffette! Elle pouvait faire des choses à ses ennemis.

Des choses horribles. Puantes.

Non, non! pensa Fille-Nory, mais en vain.

Mouffette-Nory se mit à enfler. Elle grossit pour atteindre la taille de ses ennemis sans poils. Puis elle continua de grossir et une trompe jaillit de sa figure. Une trompe d'éléphant.

Nory l'agita dans les airs d'un air menaçant. Elle était Moufféphant-Nory. Le corps d'une mouffette avec la trompe et la taille d'un éléphant!

Et elle était fâchée. Tellement fâchée! Elle souleva sa queue géante de mouffette.

— Nory! Arrête! cria Elliott.

Moufféphant-Nory se plaça de côté devant ses ennemis sans poils.

— Non! s'écria Elliott.

Elle souleva son postérieur de Moufféphant-Nory.

— NORY! N'ARROSE PAS LES ÉTINCELLES!

Un des ennemis sans poils tirait sur sa trompe. Moufféphant-Nory se dégagea. L'ennemi sautilla devant elle en disant :

— Nory, c'est moi, Elliott! Ne fais pas ça!

Elliott. Elle se souvenait d'Elliott. Il était gentil. Il l'avait accompagnée à l'école. Il mangeait juste un légume.

— Tu peux te transformer, dit-il. Je sais que tu en es capable, avant que des trucs dégoûtants ne se produisent.

Bonne idée, songea Fille-Nory. *Je suis capable. Je vais*

juste me transformer. Je n'arroserai personne.

Au même moment : QU'EST-CE QUE C'EST QUE ÇA? Devant elle surgit une minuscule forme sans poils avec une robe en denim ample et deux couettes. C'était la chose la plus terrifiante qu'elle ait jamais vue!

Ahhhhh! Ça s'approchait d'elle!

— Pepper, sors d'ici! cria Elliott. Tu deviens *Féroce!*

DANGER! DANGER! IL Y A UN DANGER!

Moufféphant-Nory chancela. La terreur s'empara d'elle.

Elliott fit une dernière tentative :

— Va-t'en, Pepper! Nory, arrête!

Trop tard. Moufféphant-Nory leva sa grosse queue touffue et arrosa les Étincelles.

11

La cafétéria fut fermée jusqu'à nouvel ordre. Les Étincelles furent envoyées chez l'infirmier. Le groupe avait été arrosé si copieusement qu'une brume flottait autour d'eux.

Selon les rumeurs, l'infirmier Riley s'était évanoui à cause de l'odeur.

Grâce à Elliott, Pepper avait pu s'écarter à temps.

Nory était redevenue humaine au beau milieu de ce chaos. Avant que quiconque ne puisse la trouver, la gronder ou l'emmener à l'infirmerie, elle s'était enfuie dans le couloir et réfugiée dans le placard d'approvisionnement.

Elle était tellement fâchée contre les Étincelles.

Tellement embarrassée.

Et désolée.

Mais elle ne pourrait pas se cacher éternellement. Après avoir attendu quelques minutes pour se calmer, elle prit une grande inspiration et sortit seule pour aller à la récré. Elle devrait bien affronter tout le monde à un moment donné, alors aussi bien y aller maintenant.

La cour était équipée de balançoires et d'une structure à grimper. Un terrain de basketball occupait la zone asphaltée, où une dizaine de Flèches jouaient au ballon, suspendues à soixante centimètres dans les airs. Sur la pelouse, des Fluides transformés en chatons se pourchassaient. Certains enfants s'amusaient à des activités ordinaires comme sauter à la corde ou se poursuivre.

— Aucun feu ou invisibilité dans la cour! avertit une dame de la cafétéria quand Nory sortit à l'extérieur. Et seulement des transformations non menaçantes! Compris?

Les élèves de MM se tenaient près des balançoires où Sébastien tenait la laisse d'Andres. Un groupe d'élèves ordinaires les fixaient en les montrant du doigt.

— Les bizarroïdes!

— Ils auraient pu blesser quelqu'un.

— C'était dégoûtant.

— Pourquoi sont-ils dans notre école?

— Est-ce même sécuritaire?

Les élèves de MM faisaient de leur mieux pour ignorer ces commentaires. Willa et Pepper se balançaient. Marigold les poussait tour à tour. Elliott et Bax faisaient rebondir un ballon de basketball. Quand Nory s'approcha, les balançoires s'immobilisèrent. Tout le monde la regarda avec sévérité.

— Je n'en reviens pas que tu nous aies fait ça, souffla Elliott. Par ta faute, on a eu l'air de vrais énergumènes...

— Des énergumènes dangereux! renchérit Willa.

— ... devant toute l'école.

— Je suis désolée, dit Nory. Je n'ai pas fait exprès!

Willa et Pepper descendirent de leurs balançoires et tout le groupe lui tourna le dos. Même Sébastien et Andres en suspension.

Nory avait les larmes aux yeux.

— Non! S'il vous plaît!

Personne ne voulut lui parler. Aucun ne se retourna. Pour le reste de la journée, ils firent comme si elle n'existait pas.

Mme Starr parla de tolérance et de pardon. Elle leur rappela qu'ils avaient tous des pouvoirs magiques qui échappaient parfois à leur contrôle.

— C'est pour cette raison que nous sommes ici, expliqua-t-elle. Si nous ne pouvons pas compter les uns sur les autres, sur qui pourrons-nous compter?

Personne ne l'écouta.

Nory téléphona à la maison en rentrant chez tante Margo, mais il n'y avait pas de réponse. Elle laissa un message sur la boîte vocale :

— Je vous en prie, rappelez-moi. Je ne peux pas rester ici. Je ne peux vraiment pas!

Elle surveilla le téléphone. Il ne sonna pas.

Tante Margo rentra du travail juste avant le souper.

— Commandons de la pizza, dit-elle. Avec des olives ou du pepperoni?

Nory était surprise. Hubert préparait chaque soir un repas sain et nutritif, comprenant toujours des légumes, servi dans la salle à manger, avec des serviettes en tissu. Ensuite, Nory et Dalia lavaient la vaisselle avant que quiconque puisse avoir du dessert.

— Encore de la pizza? s'étonna-t-elle.

— Aimes-tu la viande? demanda sa tante en scrutant le menu. Je ne sais même pas si tu en manges!

Elle ouvrit le frigo. Il contenait quelques fruits et du lait, mais rien qui puisse permettre de préparer un souper.

— Oui, encore de la pizza, ajouta-t-elle. Absolument. Le seul autre endroit qui livre est le restaurant japonais et... Eh bien, je n'ai pas le budget pour ça.

— Manges-tu de la pizza tous les soirs? demanda Nory.

Tante Margo rougit.

— Tu n'aimes pas la pizza? Je croyais que tous les jeunes voulaient manger de la pizza à tous les repas.

— J'aime la pizza. Ce sera parfait.

Margo eut l'air soulagée.

— On pourrait manger une pomme avant que la pizza arrive, proposa-t-elle. Ainsi, on aurait des vitamines. D'accord?

— Oui, dit Nory.

— Et la viande ? répéta Margo en prenant le téléphone.

— D'accord pour la viande. Ne te gêne pas pour en mettre.

Margo commanda une petite pizza avec double pepperoni. Elles mangèrent leur pomme en silence, assises sur le canapé en attendant la pizza. Nory fit ses devoirs d'anglais et de maths pendant que Margo révisait son horaire de taxi pour la semaine suivante sur l'ordinateur.

Nory aurait voulu parler à quelqu'un de Pepper, du caston, de la moufféphant, des Étincelles et du rejet de tous ses camarades de magie marginale. Mais elle avait appris depuis longtemps à ne pas parler de sa magie détraquée à la maison. De toute façon, elle connaissait à peine tante Margo, et cette dernière était absorbée par son horaire. Elle garda donc le silence.

Il n'y avait qu'un salon et une cuisine avec coin-repas. Ce n'était ni très élégant, ni très désordonné. Margo n'avait pas beaucoup de possessions et n'était clairement pas intéressée par la décoration. Le salon contenait quelques livres pour adultes, un coin bureau où était empilée toute la paperasse de taxi, quelques fauteuils confortables et un canapé. Cependant, il n'y avait aucun jeu de société, pas d'animaux, pas de matériel d'art ou de photos de famille. Rien qui ressemblait au joyeux fouillis créé par Hubert et Dalia dans les pièces du fond de la maison paternelle. Et rien qui évoquait l'élégance soignée des pièces de réception à l'avant de leur demeure.

Tante Margo vivait seule avant mon arrivée, comprit soudain Nory. Elle le savait déjà, bien sûr, mais soudain, elle le *sentit*.

On frappa à la porte et Margo se leva pour aller ouvrir. Quand elle revint avec la boîte de pizza, elle alluma le téléviseur.

Elles mangèrent sans assiettes, juste un rouleau d'essuie-tout, en regardant le bulletin télévisé. C'était extrêmement ennuyeux. Tante Margo ne semblait pas s'en rendre compte. Elle se penchait pour enfourner la pizza dans sa bouche presque sans interruption.

— Voler avec des passagers est un métier très physique, dit-elle durant une pause publicitaire. J'ai besoin de beaucoup de nourriture à la fin de la journée.

— Ah.

Elles regardèrent d'autres informations et terminèrent leur repas. Puis Margo scruta le visage de sa nièce. Elle la regarda vraiment pour la première fois depuis qu'elle était rentrée. Éteignant le téléviseur, elle demanda :

— Ta première journée ne s'est pas bien passée, hein?

La gorge nouée, Nory hocha la tête.

— Super pourrie, ou juste une mauvaise journée ordinaire de nouvelle élève?

Nory ne voulait pas pleurer. Elle n'allait pas pleurer devant cette tante presque étrangère, cette tante qui ne savait pas à quel point Nory était bizarre et qui avait eu la gentillesse de l'accueillir alors que son propre père ne voulait pas d'elle. Elle pinça les lèvres pour s'empêcher de pleurer.

— Vas-tu vomir? s'écria soudain Margo. Oh, non, pas sur le tapis. Allons là-bas, sur le plancher.

Elle tira Nory doucement par le coude jusqu'à ce qu'elles soient sur un bout de parquet sans tapis.

— Bon, tu peux vomir ici. Vas-y, c'est un bon endroit. Attention à tes souliers.

Nory pouffa de rire.

— Je ne vais pas vomir.

— Ah non?

— Non.

— Vraiment?

— Vraiment.

Margo sourit.

— Fiou, je pensais que c'était ton expression d'avant-dégueulis.

— Non.

— J'ai cru que le double pepperoni était une mauvaise idée.

— Non, le pepperoni était très bon.

— Tu m'as rendue un peu nerveuse, admit Margo. Avec ton expression...

— Non, non. C'était juste... mon expression de journée super pourrie.

— Oh.

Margo lui jeta un regard curieux.

Après un silence, Nory déballa d'une traite :

— J'ai insulté une fille sans le faire exprès et je ne savais pas comment m'excuser, et après, je me suis transformée en caston et j'ai mangé des livres, ce que les gens ont trouvé bizarre, puis durant le dîner, je me suis métamorphosée en moufféphant et ils ont dû fermer la cafétéria, car ça sentait mauvais comme tu ne peux pas imaginer, mais je n'ai pas pu m'en empêcher, et aussi, Elliott est fâché contre moi, les Étincelles aussi et tous les élèves de magie marginale, qui pensent que je suis la plus bizarroïde de la classe des bizarres.

Tante Margo s'assit au bord du canapé.

— Zaperlotte, c'était une journée super pourrie qui surpasse toutes les journées pourries, je crois.

— Oui.

— Bon. Que puis-je faire pour t'aider?

Son père disait toujours à ses enfants qu'ils devaient se débrouiller seuls. Il ne pouvait pas faire les choses à leur place ou leur faciliter la vie. Se débrouiller eux-mêmes était la meilleure façon d'apprendre. Nory pensait qu'il avait probablement raison, mais c'était agréable d'entendre ces mots dans la bouche de Margo.

— Je ne sais pas, finit-elle par répondre d'une petite voix.

— Alors, allons faire un petit vol, dit sa tante en sortant son manteau du placard. Viens, habille-toi chaudement.

— Tu n'es pas fatiguée?

— Plus maintenant. Je me suis reposée et j'ai mangé de la pizza. Tiens, enfile ces gants.

Elles s'habillèrent et sortirent dans la cour arrière. Puis elles s'élevèrent ensemble dans les airs et flottèrent doucement au-dessus de la ville de Perlincourt. Margo lui montra la pharmacie, une rue remplie de restaurants et de boutiques, ainsi que le parc avec sa mare aux canards. Quelques autres Flèches les dépassèrent, profitant de la lumière du crépuscule. L'un d'eux avait un canari en laisse, qu'il emmenait faire une promenade. Les autres étaient seuls, puisque la plupart des Flèches ne pouvaient prendre de passagers. Margo les salua en criant :

— C'est ma nièce, Nory! Celle dont je vous ai parlé!

Nory agita la main et les Flèches lui répondirent. Margo semblait fière d'elle. Ou du moins, d'être en sa compagnie.

Elles survolèrent un ruisseau qui sillonnait la ville. Elles volèrent au-dessus de la piscine municipale, qui était vide, et du terrain de ballon volant de l'école secondaire.

Quand elles revinrent à la maison, elles prirent une douche chaude et enfilèrent leur pyjama. Nory alla se coucher sur son petit lit de fer, dans la chambre aux murs vert clair.

À sa grande surprise, elle se sentait mieux.

Malheureusement, la journée du lendemain fut tout aussi mauvaise que la première.

— Aujourd'hui, nous allons faire des maths, de la géographie et du vocabulaire comme toutes les classes, annonça Mme Starr. Mais j'encourage la créativité en littérature. Vous n'allez pas seulement lire des poèmes et rédiger des textes, dit-elle en souriant. Vous allez lire des poèmes et faire de la danse d'interprétation!

— Hein? fit Elliott.

— Pour développer votre magie marginale, vous devez être en contact avec vos émotions. Il faut que vous compreniez vos sentiments pour ne pas... vous savez, vous transformer en caston ou en roche. Ou faire pleuvoir au mauvais moment. Ou rapetisser la voiture de quelqu'un. Le cours de magie marginale n'a pas pour objectif d'apprendre à contrôler vos émotions, mais de les comprendre!

— Peu importe, grommela Bax. Je n'ai pas d'émotions.

Puis il se transforma en roche. Marigold l'emmena à l'infirmerie dans une brouette que Mme Starr avait prévue à cet effet.

Le reste de la classe lut un poème intitulé « La sirène perdue ». Ensuite, Mme Starr fit jouer de la musique océanique et rassembla tout le monde sur le tapis.

— Elle ne peut pas trouver ses parents! Ressentez sa tristesse! s'écria l'enseignante en tombant à genoux et en effectuant des mouvements de nage avec ses bras. Éprouvez sa panique! Sentez sa terreur! Ressentez tout ce que le poème vous inspire! Entrez en contact avec ces émotions!

— Je ne me suis pas inscrit à un cours de danse, gémit Andres au plafond.

— Essayez, au moins! dit Mme Starr. Vous pouvez être un requin affamé si vous voulez! Ou une crevette en colère! Ou une roche stoïque. En fait, non, pas une roche. Nous ne voulons pas nous moquer de Bax.

— Les sirènes n'existent pas, grommela Willa.

— C'est faux, protesta l'enseignante. Personne n'en a vu depuis plus d'une centaine d'années, mais elles existent.

Sébastien se roula sur le tapis. Il ressentait apparemment des émotions.

Pepper se mit en boule, la tête entre les genoux.

Nory fit semblant d'être une algue. Elle oscilla jusqu'à Elliott, en agitant les mains mollement au-dessus de sa tête.

— Je suis vraiment, vraiment désolée, lui dit-elle. À propos de la moufféphant. Et de tes amis Étincelles.

— Va-t'en, répondit-il. Je suis occupé à être un blobfish.

— Ah bon? dit-elle en l'examinant.

Il était appuyé contre le mur et ne bougeait pas.

— Oui, et je ne suis pas content. Je me demande si tu devines pourquoi.

— Parce que cette sorte de poisson a l'air d'être fait en pâte? supposa-t-elle.

— Non, ce n'est pas la raison. Tu ne vas pas te transformer en blob-chaton, hein? Un blaton?

Nory frissonna. Dégueu.

— Je ne peux rien promettre, mais je vais essayer de me retenir.

Au même moment, la pluie se mit à tomber sur eux.

Beaucoup de pluie.

— Désolée! cria Willa.

— Ne t'excuse pas! lança Mme Starr en courant chercher les parapluies. C'est un moment d'enseignement! Parlons de la *raison* derrière cette pluie soudaine. Essayons de comprendre le lien entre tes émotions et ta magie.

La pluie cessa.

Tout le monde alla chercher des vêtements de rechange dans les casiers et le concierge fut appelé de nouveau. Même si c'était Willa qui avait causé le problème, c'était à Nory que les autres refusaient toujours de parler.

Les journées passèrent et la situation ne s'améliora pas. Quand vint le temps pour la classe d'étudier la magie, Mme Starr dit aux élèves de faire le poirier. Ils durent s'installer sur le tapis, où elle les enjoignit à mettre leur univers à l'envers. Andres dut se tenir debout sur ses pieds, comme une chauve-souris, la tête en bas. Elle lui donna un parapluie fermé comme accessoire.

Personne n'était doué pour cet exercice, sauf Willa. La plupart des élèves devaient s'appuyer au mur pour se tenir sur la tête.

Bax se transformait en roche dès qu'il se mettait à l'envers.

Chaque fois, sans exception, il devait être emmené à l'infirmerie dans la brouette. Au bout d'une heure, il revenait sous sa forme humaine, généralement avec une moustache verte de médicament.

Cela semblait une cause perdue, mais Mme Starr les exhortait à persévérer.

— Se tenir sur la tête calme l'esprit et diminue le stress, insistait-elle. Surtout, cela permet de voir les choses à l'envers et de percevoir le monde différemment. Croyez-moi, cela aide vraiment ceux dont la magie est inversée!

Nory se demandait si l'enseignante savait de quoi elle parlait.

— Mme Starr? Est-ce que faire le poirier vous a aidée avec votre magie? demanda-t-elle un jour où ils se tenaient tous sur la tête (sauf Bax, qui était une roche, et Sébastien, qui était de corvée de brouette).

L'enseignante se tenait parfaitement droite sur sa tête au centre du tapis.

— Cela m'a aidée énormément.

— Parce que votre magie est inversée, vous aussi? demanda Marigold.

— Absolument. C'est pour cela que je voulais devenir enseignante.

— Dites-nous ce que c'est, la supplia Willa. S'il vous plaît! Nous savons que c'est différent. Mais différent *comment?*

— C'est une magie qui... eh bien, cela pourrait bouleverser la classe si je faisais une démonstration, répondit-elle d'un ton mystérieux. Je préfère que vous soyez tous en contrôle avant de partager cela avec vous.

— Je parie que vous êtes une sorte de Fugace, devina Elliott.

— Non, une espèce de Fluide, dit Andres.

— Ou plutôt une Fourrure, ajouta Pepper.

— Je vous le dirai quand le moment sera venu, dit Mme Starr. Maintenant, descendez tous sur le sol. Andres, je vais aller chercher le sac de briques pour que tu le tiennes. Nous allons faire un exercice de confiance en groupe.

Un grognement collectif accueillit ses paroles.

Chaque jour, après l'école, Nory se précipitait chez tante Margo et téléphonait chez elle.

Chaque jour, elle tombait sur la boîte vocale.

— Je veux rentrer à la maison, Père, disait-elle. C'est horrible, ici, Hubert. Je m'ennuie de ta cuisine. Les autres parlent de moi quand ils pensent que je n'entends pas, Dalia. Ils sont horribles. Rappelle-moi, je t'en prie!

Personne ne la rappelait jamais.

Deux semaines après l'arrivée de Nory, un samedi matin, tante Margo fit elle-même un appel.

— Pierre, dit-elle d'un ton ferme. Je sais que tu es là. Je sais que tu laisses les appels aller directement dans la boîte vocale. Je suis certaine que tu as dit à Hubert et Dalia de ne pas répondre. C'est inacceptable. Nory est ta fille. Tu dois cesser de te comporter comme si tu avais une tête sans cervelle. Tu as mon numéro, alors rappelle-nous.

Le père de Nory ne rappela pas.

Après deux heures d'attente, Margo composa un autre numéro.

— Il est temps que tu rencontres Nory, dit-elle à la

personne au bout du fil. Peux-tu venir nous chercher?

Elle s'interrompit, puis reprit :

— Oui. Parfait. Donne-nous cinq minutes. Six si tu veux que je me brosse les cheveux! Je t'aime aussi.

Puis elle raccrocha.

— Nous sortons pour dîner, annonça-t-elle à Nory. Figs vient nous chercher avec sa voiture.

— Qui est Figs?

Nory était pelotonnée sur le canapé et s'apitoyait sur son sort.

— C'est mon petit ami. Tu vas l'adorer. Il nous emmène à une nouvelle pâtisserie que nos amis Flammes viennent d'ouvrir. Apparemment, les brioches à la cannelle sont fantastiques. Tu peux manger une brioche pour le dîner, n'est-ce pas?

—Peut-être, dit Nory en souriant pour la première fois de la journée.

Son père insistait toujours sur les légumes et les protéines pour le repas du midi, afin que personne ne soit alourdi par un excès de sucre et de féculents.

— Mais si Père ou Hubert rappellent et que nous ne sommes pas là pour répondre? ajouta-t-elle.

— *Pfff*, fit tante Margo. Je vais apporter mon cellulaire. Figs est déjà en route. Oh, le voilà!

Un gros chien brun et blanc entra dans le salon par la fenêtre ouverte en aboyant et en agitant la queue.

— Figs! le réprimanda Margo. Arrête de faire le fanfaron, espèce de boule de poils!

Elle se tourna vers Nory et expliqua :

— Figs veut te montrer son saint-bernard depuis le jour de ton arrivée. Il vient de le faire enregistrer. Je lui avais dit d'attendre. Je voulais que tu aies le temps de t'acclimater.

Figs courut vers Nory en lui adressant un grand sourire canin. Puis il recula et se secoua, hérissant sa fourrure. Un instant plus tard, il s'était transformé en homme souriant au teint olivâtre et aux larges épaules, vêtu d'un jean et d'un t-shirt noir.

— Bonjour, Nory, dit-il en lui tendant la main. Je suis Figaro Russo. J'ai une pharmacie en ville. On y vend de l'aspirine, des médicaments pour les verrues, de l'onguent pour les brûlures, de l'herbe à chats, tout ce que tu peux imaginer! On vend aussi des bonbons. Tu devrais venir faire un tour pour dépenser ton argent de poche. Tu lui donnes de l'argent de poche, n'est-ce pas, Margo? Il lui en faut!

— Très bien, je vais lui en donner, dit Margo. Maintenant, peut-on y aller? Je meurs de faim!

— Allons-y! dit Figs en tapant des mains. Brioches à la cannelle, nous voici!

Ils dégustèrent un délicieux repas composé de féculents, de graisse et de sucre. Figs parla des métamorphoses des Fluides. Il était autorisé à se transformer en quatre formes de chien.

— Je n'ai jamais pu réussir mon chaton, par contre, dit-il d'un ton encourageant. Je dois être le seul Fluide d'Amérique du Nord à ne pas avoir mon permis de chat. Et je ne réussis aucun gros carnivore. Mais tant pis! À quoi me serviraient-ils, de toute façon? Les chiens me viennent naturellement. Je suis en train de travailler sur un chihuahua. Je pense que ce serait utile d'être un très petit chien. Mais jusqu'ici, pas de chance!

Pendant le trajet du retour dans la camionnette de Figs, le téléphone de Margo sonna. Elle regarda l'écran, haussa les sourcils et tendit l'appareil à Nory.

Le cœur de la jeune fille s'emballa. Elle porta le

téléphone à son oreille.

— Allô?

— Nory! On t'écoute sur le haut-parleur! dit Dalia.

— Qui ça?

— Hubert et moi.

— Et Père?

— Il avait une réunion. Tu le connais. Il travaille toujours, même la fin de semaine.

— Bonjour, Nory, dit Hubert. Désolé qu'il nous ait fallu tout ce temps pour te rappeler. Père voulait qu'on te laisse t'installer d'abord. Mais après le message de tante Margo, on a décidé d'appeler quand même.

Il était temps, faillit dire Nory. Mais elle se retint, au cas où ils raccrocheraient.

Elle devait faire contre mauvaise fortune bon cœur.

— Margo m'a emmenée prendre un délicieux repas, déclara-t-elle. Il n'y avait aucun légume!

— Chanceuse, dit Dalia.

— Comment est la maison? voulut savoir Hubert. Ta chambre est-elle petite?

— Et ta nouvelle école? ajouta Dalia. Est-ce déprimant?

— On veut que tu reviennes, assura Hubert. Mais

c'est difficile de convaincre Père.

— Mais on a eu une idée! annonça Dalia. On s'est dit que si tu pouvais contrôler les corps d'animaux, tu sais, si tu ne mâchais pas les objets et ne mettais le feu nulle part...

— ... et si tu réussissais à créer un très bon chaton sans parties bizarres...

— Père a dit que ton chaton était *excellent* avant qu'il ne se détraque, interrompit Dalia.

— Alors, tu pourrais passer un test pour sortir de cette classe de magie marginale, conclut Hubert. Tu pourrais fréquenter une classe pour les enfants normaux. Ensuite, tu pourrais t'exercer à devenir *plus normale* et réessayer d'entrer à l'académie Sage.

— Réessayer? répéta Nory.

Au bout du fil, elle entendit le bruit étouffé d'une porte qui s'ouvrait.

— Est-ce Père? demanda-t-elle.

— Oh, non! dit Dalia d'une voix aiguë. On doit raccrocher.

— Sors de cette classe spéciale, conseilla Hubert. Arrête d'être bizarre et rentre à la maison. On s'ennuie de toi!

Nory entendit la voix de son père :

— Hubert? Dalia? Qui est au téléphone?

Il y eut un déclic, puis plus rien.

Nory ferma les paupières très fort à l'arrière de la camionnette. Figs et tante Margo discutaient de la préparation de brioches à la cannelle maison. Margo disait que la recette semblait trop difficile et qu'ils devraient se contenter de rôties à la cannelle comme tout le monde. Figs affirmait qu'il ne faut pas éviter d'essayer de faire quelque chose juste parce que c'est difficile.

Nory les écoutait à moitié.

Elle réfléchissait au plan de Dalia et Hubert.

D'abord, elle devait apprendre à être normale. Oui. Ensuite, elle sortirait de la classe de magie marginale et irait dans une classe de magie ordinaire de Fluide. Elle apprendrait à être encore plus normale dans cette classe, puis tenterait de nouveau sa chance à l'académie Sage. Elle pourrait même recommencer sa cinquième année. Cela ne la dérangerait pas.

Si elle pouvait réussir tout cela, si elle arrivait à être *normale*, son père la laisserait sûrement rentrer à la maison.

12

Le lundi, Bax se métamorphosa en pierre au début de l'entraînement de la chandelle. Comme d'habitude.

C'était au tour de Nory de l'emmener voir l'infirmier Riley. En poussant la brouette dans le couloir, elle jeta un coup d'œil aux autres classes. C'était l'heure du cours de magie et les Flammes de cinquième année faisaient griller des guimauves dans leurs mains.

Leur classe sentait délicieusement bon.

Dans la classe des Fourrures, les élèves se tenaient en cercle autour d'une licorne argentée. Ils faisaient sa toilette et lui donnaient des carottes.

Les Flèches de cinquième année lévitaient à soixante centimètres du sol en tournant lentement en cercle. Par moments, l'un d'eux descendait plus bas ou oscillait vers l'arrière, et leur enseignant donnait un coup de sifflet. Les jeunes Flèches étaient appelées les oisillons. La plupart de ces débutants ne pourraient pas s'élever plus haut qu'un mètre cinquante avant l'école secondaire.

Andres était une exception, de toute évidence. Il pourrait s'envoler jusqu'à la Lune s'il le voulait. Mais après? Il ne pourrait pas redescendre.

Nory poursuivit son chemin. Elle atteignit l'infirmerie et dit à Bax, même si elle doutait qu'il puisse l'entendre :

— Nous y voilà.

— Ah, dit l'infirmier Riley. Encore l'exercice de la chandelle?

Nory lui passa les poignées de la brouette.

— Est-ce que je peux regarder? S'il vous plaît?

— Crois-moi, ma belle, tu ne veux pas voir ça, dit l'homme en fermant la porte.

Nory revint à son local par un chemin différent. Dans la classe des Fugaces, des jeunes contemplaient des crapauds qui sautillaient sur leurs pupitres.

— Commencez! cria leur enseignante.

La moitié des crapauds devinrent invisibles. L'autre moitié semblait dépourvue de divers éléments : certains étaient sans pattes, d'autres sans figure ou sans ventre. Nory se dit que c'était plutôt génial.

Les Fluides de cinquième année travaillaient à leurs chatons. Ce n'était pas un grand groupe puisque les Fluides étaient plutôt rares. Il n'y avait que dix élèves. Nory remarqua qu'ils essayaient d'ajouter des couleurs à leurs transformations de chatons. Quatre étaient entièrement noirs, cinq avaient des taches blanches et un seul était de trois couleurs.

— Luciana, arrête de regarder par la fenêtre! gronda l'enseignant. Les écureuils ne te concernent pas. Et toi, Alastair, ne gratte pas les meubles. Et vous tous, n'oubliez pas de maîtriser l'esprit de votre animal!

Nory aurait tant voulu se joindre à eux!

Quand elle revint dans sa classe, les autres se tenaient toujours sur la tête. On entendait de la musique douce et Mme Starr était à l'envers au milieu du tapis.

Nory choisit un endroit près d'Elliott.

— Elliott, chuchota-t-elle. Hé, Elliott!

Il fit mine de ne pas l'entendre.

— Les amis, pensez à ceci, déclara l'enseignante. Quand vous êtes à l'envers, le plafond devient le plancher et le plancher devient le plafond. Intéressant, non?

— Ennuyeux, murmura Marigold.

— Peut-être, dit Mme Starr en la foudroyant du regard. Mais si tu veux t'améliorer, c'est la façon de procéder.

Elle s'approcha d'Andres pour l'encourager à prendre une position de chauve-souris.

— J'ai un plan, chuchota Nory à Elliott. Je sais que tu m'entends, alors arrête de faire semblant.

— Et toi, arrête de m'embêter, rétorqua-t-il.

— C'est un bon plan. Un plan pour nous faire sortir d'ici.

Elliott pinça les lèvres.

— Toi et moi, on est différents des autres élèves de cette classe, murmura-t-elle. On pourrait faire de la magie comme les gens normaux si on s'entraînait suffisamment.

Voyant qu'Elliott ne l'arrêtait pas, elle poursuivit :

— Si tu pouvais cesser de geler les objets et si je

pouvais m'en tenir à des animaux ordinaires, on pourrait être transférés dans des classes normales.

— Tu as arrosé les Étincelles de jus de mouffette, lui rappela le garçon.

— Je me suis *excusée*.

— C'étaient mes meilleurs amis jusqu'à ce moment-là.

Vraiment? se dit-elle. Mais ne voulant pas le dire à haute voix, elle répliqua plutôt :

— Tu pourrais t'entraîner pour ton talent de Flamme, et moi, je m'entraînerais à être une Fluide. On pourrait s'aider mutuellement!

— Si j'étais une Flamme ordinaire, peut-être qu'ils m'aimeraient comme avant...

— On va travailler ensemble, chuchota Nory. Toi et moi, après l'école.

Le garçon se releva de sa chandelle chancelante et tapota ses boucles.

— Mme Starr nous laissera-t-elle quitter cette classe? Et le directeur Gonzalez?

Nory n'y avait pas réfléchi.

— Bien sûr que oui, répondit-elle. Ils seront bien obligés.

— Tu crois?

— On pourrait au moins lui demander, non?

Ils attendirent à la fin de la journée. Dès que les autres élèves sortirent du local, ils s'approchèrent du bureau de l'enseignante.

— Oui? dit-elle, étonnée qu'ils soient encore là.

Elle semblait fatiguée. Nory remarqua qu'elle s'était changée de vêtements pour la quatrième fois de la journée.

— Vous êtes une excellente enseignante, dit Nory. Andres, Willa et les autres, ils sont tous très gentils. N'est-ce pas, Elliott?

Le garçon cligna des yeux.

— Cependant Elliott et moi, on n'est pas comme eux. On arriverait à faire de la magie normale avec un peu d'entraînement. Mais pas eux.

— Ah oui? rétorqua l'enseignante.

— Oui. Mais nous avons besoin de votre aide. Acceptez-vous?

— Accepter quoi?

Nory se redressa.

— De nous faire passer un test. S'il vous plaît. Pour

(123)

voir si on pourrait aller dans une classe de magie ordinaire de cinquième année.

Mme Starr eut une expression dépitée.

— Pourquoi?

Nory avait le cœur serré. Elle ne voulait pas blesser Mme Starr.

— Parce qu'on ne veut pas être des bizarroïdes, expliqua Elliott.

— J'espère que personne n'utilise ce terme à Perlincourt, dit l'enseignante en fronçant les sourcils.

Si Elliott avait entendu le tremblement de sa voix, il n'en montra rien.

— On veut juste une chance d'être normaux, reprit-il.

— Vous aider à être normaux n'est pas mon rôle, dit Mme Starr avec une expression sérieuse. Mon travail est de vous aider à comprendre ce que vous êtes et à l'accepter. Je dois vous enseigner à tirer le meilleur parti de vos talents. Cette classe est l'endroit qui vous convient, car vous avez quelque chose d'inhabituel à offrir.

— Je vous en prie, supplia Nory.

— Saviez-vous qu'autrefois, les pouvoirs inusités étaient admirés? Le pouvoir de faire pleuvoir, de créer de la glace, de voir ce qui était invisible? La transformation en de multiples animaux était considérée comme quelque chose de merveilleux.

— Ils pensaient que la magie marginale était meilleure que la magie ordinaire? demanda Elliott.

— Certaines personnes pensaient qu'elle était meilleure, comme certains croient aujourd'hui qu'elle est mauvaise. Selon moi, elle fait simplement partie de la magie qui existe autour de nous.

— Je pense qu'Elliott et moi pourrions être normaux, intervint Nory.

— Mais qu'est-ce qui est *normal?* demanda l'enseignante. Il y a seulement un siècle que les gens ont divisé les pouvoirs entre les cinq F, vous savez. C'est un point de vue très restrictif. Je crois qu'il n'y a rien de « normal » et que nous méritons tous le respect, tels que nous sommes.

C'était très bien, mais Nory voulait rentrer chez elle, auprès de sa famille.

— Laissez-nous essayer, s'il vous plaît, insista-t-elle.

Mme Starr soupira.

— Vous voulez passer un test pour quitter ma classe?

— Oui, dit Nory.

Elliott hocha la tête.

— Très bien, dit l'enseignante. Puisque c'est si important pour vous, je vais demander au directeur de vous évaluer.

Un grand sourire illumina le visage de Nory.

Cette fois, ce serait différent du Grand Test.

Cette fois, elle réussirait.

13

Nory et Elliott s'entraînèrent cet après-midi-là chez tante Margo. Cette dernière leur donna des rôties à la cannelle comme collation, mais elle n'était pas d'accord avec leur projet de quitter le cours de MM.

— Oh, s'il vous plaît! s'écria Margo en se laissant tomber sur une chaise dans la cuisine quand ils lui expliquèrent leurs intentions. Soyez qui vous êtes, pas ce que vous pensez que vous devriez être!

Nory détestait l'expression sur le visage de sa tante, mais ne changea pas d'avis.

— On va s'entraîner dehors. Viens, Elliott. Tu peux

apporter ta rôtie.

Il y avait des légumes et des fleurs partout dans la cour arrière de tante Margo. Sur la corde à linge, la lessive séchait au soleil de septembre. Nory et Elliott s'assirent à une petite table de métal et discutèrent.

— Une fois qu'on sera dans une classe normale, ils nous enseigneront tous les trucs réguliers, expliqua Nory. Savais-tu qu'ils ne font pas le poirier? *Ni* de danse d'interprétation. *Ni* d'exercices de mise en confiance.

Elle décrivit ce qu'elle avait vu en épiant les autres classes : les Flammes qui faisaient griller des guimauves, les oisillons en cercle, les Fluides et leurs chatons colorés.

— Alors, ils s'exercent pour développer de vraies habiletés? Des habiletés pratiques? demanda-t-il.

— Oui, et c'est ce qu'on fera, nous aussi. Dès qu'on sortira de la MM.

— Comment les autres profs enseignent-ils la magie s'ils ne font pas de chandelle ou de trucs comme ça?

— Ils enseignent la magie comme Mme Starr enseigne les maths, répondit-elle. Ils expliquent comment procéder, puis les élèves essaient à leur tour.

Elle enleva un élastique de son poignet et s'en servit

pour attacher ses cheveux.

— Mon père dit toujours que la bonne magie est comme un animal de compagnie bien dressé, poursuivit-elle. Personne n'aime un chien qui aboie sans cesse ou un chat qui égratigne les meubles, n'est-ce pas?

— Je suppose.

— Alors, les gens dressent leurs chiens et leurs chats pour qu'ils n'agissent pas ainsi. C'est la même chose avec la magie.

— La magie est comme un animal de compagnie?

— Mon père dit qu'il faut la discipliner. Le secret d'une magie puissante est de ne jamais donner libre cours à ses émotions. Il faut rester en contrôle. Comme un dresseur de chiens.

— Mais Mme Starr veut qu'on *ressente* des émotions! souligna Elliott. Elle dit qu'il faut comprendre notre magie, pas la contrôler.

— Je sais. Mais je ne crois pas qu'elle ait raison. Père dit que la magie doit être gardée dans une cage. Comme un chiot qu'il faut dresser. Quand tu laisses le chiot sortir, tu le gardes en laisse, non?

— Ouais.

— Sauf que Mme Starr ne croit pas aux cages et aux laisses, ajouta Nory. C'est ça, le problème.

— Si la magie est un chiot, dit lentement Elliott, Mme Starr veut qu'on *aime* ce chiot au lieu d'être son maître.

— Oui. Elle veut qu'on *comprenne* le chiot et qu'on *communique* avec lui, pour ne pas avoir besoin d'une cage ou d'une laisse.

— Sauf que ça ne marche pas pour notre magie, dit Elliott en fronçant les sourcils. Si on veut être normaux, toi et moi, il faut penser comme ton père et la contrôler. Je dois écraser mon pouvoir de geler et ne garder que celui d'enflammer les choses.

— Et moi, je dois écraser mes animaux multiples et juste en faire des ordinaires.

— C'est ça.

Pendant un moment, les deux amis gardèrent le silence. Nory sortit un crayon de son sac à dos.

— Bon, réfléchissons au contrôle. Disons que tu veuilles enflammer ce crayon sans le geler par la suite. Comment pourrais-tu bloquer la glace et garder seulement le feu? Pourrais-tu bannir le côté gel de toi-même?

— Peut-être...

— Et si tu disais au côté gel que c'est un méchant chiot? Dis-lui qu'il est un méchant chiot et que s'il sort de sa cage, il sera puni. Essaie!

Elliott prit une grande inspiration. Il regarda fixement le crayon. Ce dernier s'enflamma brièvement, puis s'éteignit.

— Il n'a pas gelé! s'écria Nory. Il n'a pas gelé!

— Non, mais il s'est éteint, dit Elliott d'un air morose. Il faut qu'il reste allumé.

— C'est tout de même un progrès, l'encouragea Nory. L'idée du vilain chiot a fonctionné!

— Bon, à ton tour.

Nory s'efforça de créer un chaton noir. *Chaton, chaton, seulement chaton*, pensa-t-elle. *Pas de castor, ni dragon ni rien d'autre. Cette partie de ma magie est un méchant chiot. Un chiot très vilain qui doit rester dans sa cage.*

Sa vision s'embrouilla... et voilà. Elle était un chaton. Un adorable chaton, parfaitement formé, jusqu'à ce que...

Oh, zut!

Elle sentit son corps changer. Sa tête grossit. Sa queue aussi. Elle avait toujours un corps de chaton, mais la tête et la queue d'une... chèvre. Une petite chèvre, mais une chèvre tout de même. Elle était un chatèvre!

— Nory! cria Elliott. Transforme-toi! Recommence!

Je devrais, songea Fille-Nory. *Je devrais me changer de nouveau et recommencer...*

Mais d'abord, je dois manger ces légumes, l'interrompit Chatèvre-Nory. *Miam, miam! des tomates! Miam, miam! une courge! Et qu'est-ce que c'est que ça? Des vêtements sur une corde à linge? Miam! des chaussettes!*

Chatèvre-Nory ne savait pas ce qu'étaient des chaussettes, mais elle était prête à les dévorer.

— Arrête, Nory! M'entends-tu? cria Elliott.

De délicieuses chaussettes. Je me demande s'il y a des chaussures par ici? pensa Chatèvre-Nory. *Oh, des fleurs! Elles sont sûrement bonnes à manger.* Elle ouvrit la bouche pour manger des fleurs, mais elles gelèrent tout à coup.

Pouah! C'est froid!

Le choc de la fleur gelée dans sa bouche la fit redevenir une fille.

— Oh, Elliott! gémit-elle. Pourquoi ne suis-je pas capable? Pourquoi ne puis-je pas réussir une seule fois?

— Tu n'es pas la seule, dit son ami. Je voulais geler une seule fleur pour te faire arrêter, mais regarde! Je les ai toutes gelées! La peur m'a fait perdre le contrôle et j'ai tout gâché.

Nory regarda les fleurs de tante Margo. Ou plutôt, ce qui en restait. Des glaçons en forme de fleurs.

Et les légumes avaient tous été mangés. Tout comme les chaussettes.

Nory soupira.

— On a besoin de plus d'entrainement.

— Et ta tante a besoin de nouveaux rosiers, ajouta Elliott tristement.

La journée suivante fut consacrée aux maths, aux exercices de mise en confiance, à la géographie, à la poésie et à la danse d'interprétation. Les élèves firent aussi de la musique et de l'éducation physique. Tout le monde aimait la musique, sauf Sébastien. Quand les élèves furent invités à essayer divers instruments, comme des flûtes et des violons, le garçon se couvrit les yeux en criant :

— Essayez-vous de me rendre aveugle? Savez-vous à quoi ressemblent les ondes sonores des instruments de musique mal utilisés? Coupantes! Comme des couteaux pour mes yeux!

Il dut aller s'asseoir dans le couloir.

L'éducation physique était également une activité risquée. Marigold rapetissa deux ballons de basketball et Elliott en gela un. Bax se changea en pierre quand Willa lui fit une passe.

De retour dans la classe de Mme Starr, ils s'exercèrent à faire le poirier, encore et encore.

Cette fois, Bax essaya de se coucher sur une chaise en laissant pendre sa tête au lieu de se tenir à l'envers sur le sol. Il réussit à demeurer humain durant presque tout le cours, ce qui rendit Mme Starr très heureuse. Pepper parvint enfin à se tenir sur la tête au milieu de la pièce au lieu de s'appuyer au mur. Le poirier de Marigold était très bien, mais elle se frappa la jambe sur le radiateur brûlant en redescendant. Elle avait une grosse brûlure sur la cheville et elle y porta les mains en pleurant.

— Laisse-moi t'aider, dit Elliott.

Il prit une efface sur un pupitre et la gela, avant de la tendre à Marigold.

Elle l'appuya sur la brûlure.

— Super, dit-elle en le regardant comme s'il était un héros. Merci!

— Il n'y a pas de quoi. Mais n'en parle pas à l'extérieur de cette classe.

Lorsque la cloche sonna à quinze heures, Mme Starr appela Elliott et Nory à son bureau.

— Tenez, dit-elle en leur tendant un bout de papier.

Nory trouva que sa voix manquait d'entrain.

Votre évaluation est approuvée, disait la feuille. *Votre test aura lieu vendredi prochain. Présentez-vous au gymnase trente minutes avant le début des cours. Et n'oubliez pas : la chance peut prendre différentes formes!*

C'était signé par le directeur Gonzalez.

À la fin de l'après-midi, Nory alla s'exercer chez Elliott.

M. Cohen avait des cheveux volumineux comme son fils. Il travaillait à la maison comme professeur de guitare. C'était un Fugace, et d'après ce que put voir Nory, il utilisait surtout son talent pour faire rire le petit frère d'Elliott en faisant disparaître et réapparaître ses jouets.

— Nory, Elliott m'a parlé de ta magie. Il paraît que tu es pleine d'énergie! dit l'homme en souriant. Tu as arrosé ces Étincelles, hein? Tope là!

Nory sourit timidement et posa sa paume sur la sienne. Son cœur se gonfla et se serra en même temps. Pourquoi son propre père ne pouvait-il pas la féliciter de sa magie?

— On va dans ma chambre, papa, dit Elliott. On a des devoirs.

— Laisse-moi d'abord montrer tes glaçons à Nory, dit son père. J'ai un album de photos. Je prends autant de photos que je peux.

— Ça ne l'intéresse pas, dit son fils. Personne n'est intéressé.

Il entraîna son amie vers l'escalier et dit en montant :

— Je lui ai demandé d'arrêter de prendre des photos de tout ce que je gèle, mais il continue. De toute évidence, il me déteste, sinon il n'essaierait pas de m'embarrasser chaque minute de ma vie! ajouta-t-il d'une voix forte.

Son père rit dans la cuisine.

— Je t'adore, mon gars! Et avoue que la télécommande gelée était spéciale!

— Non, elle était juste gelée, marmonna le garçon. Autrement dit, elle était brisée.

Nory et lui s'installèrent par terre dans sa chambre.

Il aligna une série de bougies et une rangée de bâtonnets de bois.

Puis ils se mirent au travail.

Ça se passa plutôt mal.

Elliott fit geler une bougie après l'autre.

Nory se transforma en chatèvre et mangea les bougies.

Elliott gela les bâtonnets.

Nory se changea en draton et cracha du feu sur l'édredon.

Elliott éteignit le feu en faisant geler l'édredon, ce qui laissa une grosse trace de suie gelée sur le tissu.

Nory redevint humaine. Elle mit sa tête dans ses mains en grognant.

— De toute façon, ce couvre-lit était vraiment laid, dit son ami.

Ils éclatèrent de rire, mais ils savaient qu'ils étaient dans le pétrin.

Le lendemain, à l'école, Nory ouvrit son pupitre et y trouva un livre : *La boîte de normalité*, par Eugenia Throckmorton.

Qui l'avait mis là? Mme Starr?

Probablement pas. La normalité était l'un des mots

qu'elle détestait le plus.

Pourtant, personne d'autre ne savait que Nory et Elliott essayaient de changer de classe. Ils avaient décidé de ne pas en parler aux autres. Ils ne voulaient pas blesser leurs camarades.

Nory feuilleta les pages minces et craquantes. Elle lut avidement les mots.

Elliott arriva et se glissa sur sa chaise juste au moment où Mme Starr réclamait le silence. Nory cacha le livre sur ses genoux et continua de lire.

« *La personne ayant des habiletés inversées et souhaitant avoir l'air normal devrait recourir à une technique que j'appelle « la boîte de normalité.* » Le livre expliquait qu'il existait des Flammes, comme Elliott, qui étaient également des Frimas. Bien souvent, le côté glace surpassait le côté feu. Le livre donnait aussi des exemples de Fluides inusités. L'un d'eux était un garçon qui avait commencé à se transformer en gros carnivores dès l'âge de dix ans. À quinze ans, il reproduisait des animaux disparus comme des vélociraptors et des tyrannosaures. Heureusement, la « boîte de normalité » l'avait aidé à se limiter aux ours. Dans un autre exemple, une fille ne cessait de se transformer en différents insectes, toujours contre son gré. À une occasion, elle avait été coincée dans un corps de mouche durant une semaine. Encore une fois, la « boîte de normalité » l'avait aidée. Grâce à cet outil, la fille avait appris à se transformer en coccinelle et à redevenir une fille à volonté.

Nory ne trouva rien sur des Fluides comme Bax, qui se métamorphosaient en objets inanimés.

Le livre ne mentionnait pas de Féroces non plus, ni de gens qui rapetissaient les choses ou faisaient pleuvoir à l'intérieur.

Il y avait une longue section ennuyante sur les permis et les questions légales, que Nory sauta pour en arriver aux directives.

Selon Throckmorton, pour faire de la magie ordinaire, il fallait encadrer la petite partie normale de son talent, « l'enfermer dans une boîte » en quelque sorte.

« Le reste de votre talent est une jungle indisciplinée. Au cœur de cette jungle, vous devez construire un endroit sécuritaire. Cet endroit est la boîte, votre boîte de normalité. »

Nory se dit que sa boîte de normalité était le chaton noir. Elle pouvait maintenir la forme du chaton noir plus longtemps que toute autre forme. Elle avait aussi une mouffette normale. Elle pouvait garder cette forme un certain temps, au moins.

La boîte de normalité d'Elliott était sa capacité de faire griller des guimauves et d'enflammer des allumettes.

Il y avait peut-être une boîte de normalité pour Andres, également. Il *pouvait* voler. Il était simplement incapable de redescendre.

Cependant, y avait-il une boîte de normalité pour les gens comme Bax, Pepper, Marigold et Willa?

Nory craignait que non. Cette pensée l'attrista. Mais pas assez pour qu'elle interrompe sa lecture.

À l'heure du dîner, Nory avait l'impression d'être devenue une nouvelle personne.

— Viens avec moi *tout de suite*, dit-elle à Elliott.

Au lieu de se rendre à la cafétéria, ils allèrent se cacher dans le placard d'approvisionnement.

— On s'y prenait de la mauvaise façon! expliqua-t-elle.

— Ah bon?

— Oui, mais à présent, je sais comment faire.

Elle lui parla du livre et de la boîte de normalité.

— J'ai construit ma boîte et je veux vérifier si ça fonctionne, conclut-elle. Je vais faire un chaton, d'accord?

— Je ne veux pas me trouver dans un petit espace avec toi quand tu te transformes, répliqua Elliott.

— Je t'en prie!

— Tu pourrais me brûler avec du feu de dragon.

— Tout ira bien. Tu as le pouvoir de la glace!

— Tu pourrais m'arroser de jus de mouffette ou mâcher mes souliers, dit-il.

— Elliott! S'il te plaît! Cela pourrait nous aider, tous les deux.

Le garçon leva les yeux au ciel.

— Bon, d'accord. Mais si quoi que ce soit se détraque, je vais sortir du placard et t'y enfermer.

— Rien ne va se détraquer, répliqua-t-elle. Sais-tu pourquoi? Parce que j'ai une boîte de normalité.

— Quoi?

— J'ai construit un endroit sécuritaire dans ma tête toute la matinée.

Elle ferma les yeux. Dans son esprit, elle voyait une boîte. Et dans cette boîte, la partie de sa magie qui lui permettait de créer des animaux ordinaires. Des animaux ordinaires avec un esprit humain.

C'était une petite boîte. Minuscule. La jungle de sa magie était énorme, apparemment.

Peu importe. Elle était en sécurité à l'intérieur de sa petite boîte. Saine et sauve et... *chaton, chaton, chaton!*

Sa vision s'embrouilla et son corps se transforma.

Chaton!

— Tu as réussi! s'exclama Elliott. Reste comme ça, d'accord? Pas de trucs bizarres.

Il avança la main pour caresser sa tête de chaton.

— Tu es superbe, ajouta-t-il. Les oreilles sont parfaites et les moustaches très longues.

Chaton-Nory ronronna. Elle savait que le garçon qui la caressait était Elliott. Elle savait qu'ils étaient amis. Elle comprenait ce qu'il disait. Grâce à la boîte de normalité!

Chaton-Nory se promena dans le placard obscur. Elle pensa à sa vie ordinaire de Nory. Elle conservait toujours sa forme de chaton.

Puis, parce qu'elle l'avait décidé, elle retrouva son corps de Nory. Elle regarda Elliott, émerveillée.

— C'était génial, Nory! s'écria son ami. J'ai tout

chronométré sur mon téléphone, et tu as été un chaton pendant dix minutes!

— J'ai réussi! s'exclama Nory, fatiguée, mais fière. Si je peux le faire, tu le peux aussi.

À la fin de la journée, Nory se fraya un chemin dans le couloir bondé pour aller boire à la fontaine. Cette dernière était de nouveau invisible, mais, à présent, elle savait où elle était. Quand elle releva la tête, elle vit Pepper à ses côtés.

— Alors? demanda sa camarade.

C'était la première fois qu'elle regardait Nory dans les yeux depuis l'incident de la moufféphant dans la cafétéria.

— Alors, quoi?

— Comment ça va? Avec Elliott et votre entraînement pour le test? Y a-t-il du progrès?

— Tu es au courant qu'on veut sortir de la MM?

— Oui, je vous ai entendu en parler.

— Est-ce que tout le monde le sait?

— Je ne crois pas.

Nory demeura interdite. Puis les morceaux du casse-tête se mirent en place.

— Le livre! C'est *toi* qui l'as laissé dans mon pupitre?

Pepper haussa les épaules.

— J'ai pensé qu'il vous aiderait, Elliott et toi. Ça n'a pas marché pour moi. Je n'ai rien de normal à mettre dans la boîte.

Nory regarda sa camarade et vit la fille menue et amicale qu'elle avait rencontrée la première fois. Avant de savoir qu'elle était une Féroce.

Cette fille lui avait plu. Beaucoup.

Pauvre Pepper. Ce doit être terrible d'avoir un talent qui éloigne les autres de soi. Elle se sent sûrement très seule!

— Ça fonctionne, lui dit-elle. La boîte et tout le reste, ça a fait une énorme différence. Merci.

— Il n'y a pas de quoi, dit tristement Pepper. Je ne suis à ma place nulle part. Je ne réussirai jamais à m'intégrer. Mais peut-être que toi, tu le pourras.

15

La boîte de normalité fonctionnait aussi pour Elliott. Il l'essaya à la fin de l'après-midi chez lui, devant Nory. Il alluma une bougie. Il en alluma deux. Puis trois.

— Elliott! s'exclama Nory. Trois bougies et aucun gel! C'était parfait!

Le garçon était fier de lui. Il souffla les bougies d'une grosse bouffée d'air.

Il fit griller une guimauve à la perfection.

— Miam, dit la jeune fille en prenant une bouchée. Délicieux. En veux-tu?

Il secoua la tête.

— Je n'aime pas les guimauves.

— Vraiment? C'est tellement bon! dit-elle en avalant le reste de la guimauve.

Il haussa les épaules.

— Je préfère la crème glacée. Vas-y, ris de moi! Un Frimas qui aime la crème glacée, ha, ha! Je l'ai déjà entendue avant!

— Je n'allais pas rire de toi.

— Lara trouve que c'est *tordant*.

— Allons donc! Tout le monde aime la crème glacée. C'est pour ça que c'est génial d'être un Frimas. Peut-être qu'un jour, tu pourras en fabriquer juste avec tes mains!

Il secoua la tête.

— Non, je ne pourrai pas. Souviens-toi! Si la boîte de normalité fonctionne, je ne gèlerai plus jamais rien.

Nory garda le silence une minute. Ce qu'Elliott venait de dire était plutôt triste. Par contre, il ne voulait pas être un Frimas. Il voulait être une Flamme.

— Pas de problème, dit-elle avec entrain. Qui a besoin de fabriquer de la crème glacée? On peut toujours en acheter au magasin.

La semaine suivante, ils s'exercèrent à chaque occasion, tous les jours.

Nory se transforma en chiot. Un chiot *qui n'avait pas de pattes de calmar.*

Elle devint une mouffette. Une mouffette *sans trompe d'éléphant.*

Elliott fit cuire des œufs et griller des guimauves. Parfois, les aliments étaient brûlés ou trop cuits, mais ils ne gelaient jamais.

Andres fut le deuxième à remarquer ce qui se passait, ou du moins, à le mentionner.

Cela se produisit le mercredi matin, pendant un exercice de mise en confiance.

D'abord, tout le monde devait choisir un partenaire. Nory choisit Elliott.

Puis Mme Starr remit à chaque équipe un bol rempli de crème fouettée. Cachées dans la crème, leur dit-elle, se trouvaient des cerises. Le même nombre dans chaque bol : plus que cinq, moins que vingt-cinq.

— L'équipe qui trouve le plus de cerises gagne, dit l'enseignante, les yeux pétillants. Mais il y a une contrainte!

— Évidemment, grommela Bax.

Il était en équipe avec Andres. Il avait dû tirer sur la laisse de son camarade pour le faire descendre à sa hauteur, puis lui donner le sac de briques. Malgré cela, Andres flottait à trente centimètres du sol, comme un ballon en forme de garçon.

— Quelle contrainte? demanda Willa.

Sa partenaire était Pepper. Nory remarqua qu'elles portaient toutes les deux des chandails rayés. Ces jours-ci, elles coordonnaient souvent leurs tenues.

— Vous devez trouver les cerises uniquement avec votre bouche! répondit Mme Starr en sautillant sur place. Juste votre bouche, pas vos mains.

Tout le monde la regarda.

— Heu, et les microbes? demanda Marigold.

— Personne n'est malade, n'est-ce pas? Alors, parfait!

— Je vais avoir des problèmes avec cette activité, protesta Sébastien. Les ondes sonores des bruits de bouche sont éblouissantes. Il va me falloir des verres fumés.

— Tu pourrais fermer les yeux, suggéra l'enseignante.

— Comment cet exercice favorise-t-il la confiance? s'enquit Elliott.

— Vous allez avoir de la crème fouettée sur la figure, répondit-elle. Ce sera hilarant! Vous allez rire ensemble, au lieu de rire *les uns des autres*, ce qui créera un sentiment d'appartenance. C'est également un exercice qui fait travailler le cerveau, car ce n'est pas une façon typique de trouver des cerises. Cela développera vos instincts naturels.

— Y a-t-il une façon typique de trouver des cerises? demanda Elliott.

— Oui, ça s'appelle aller à l'épicerie, répliqua Willa.

— Mon instinct naturel est de ne pas mettre mon visage dans un bol de crème fouettée, dit Bax.

Mme Starr l'ignora. Elle leva le menton et dit :

— À vos marques! Prêts? Partez!

Sébastien plongea la tête dans la crème fouettée. Il en émergea avec une barbe blanche floconneuse, de gros sourcils blancs et les yeux fermés. Il lécha la crème sur sa bouche.

— Délicieux. En ai-je sur la figure?

Marigold avait aussi enfoui son visage dans un bol.

— J'en ai une! s'écria-t-elle. Youpi!

Ses yeux écarquillés étaient entourés de pics blancs. Elle ouvrit la bouche et recracha une cerise dans sa main.

C'était amusant. Tout le monde se mit à plonger la tête dans les bols. Willa utilisa la crème fouettée pour hérisser sa frange. Pepper ne mit que le bout du nez dans la crème. Quand elle releva la tête, elle semblait avoir une traînée de morve blanchâtre.

— Qui a un mouchoir? blagua-t-elle.

Andres s'étouffa avec une cerise et Bax lui frappa dans le dos, aspergeant ainsi sa propre chemise de crème. Tout le monde éclata de rire, même Bax.

Nory restait assise à observer le chaos en souriant. C'était véritablement amusant.

Puis elle se souvint. « Amusant » ne les ferait pas sortir de la classe de MM et entrer dans une classe magie ordinaire. Elliott et elles devaient utiliser ce moment pour se concentrer sur leur boîte de normalité.

Elle fouilla dans le bol avec sa main et en sortit une cerise, qu'elle nettoya sur sa chemise. Elle tendit le fruit à Elliott en disant :

— Enflamme la tige.

Le garçon haussa les sourcils.

— Je peux essayer, je suppose, dit-il avec un regard furtif autour de lui. Mais il se passe beaucoup de choses ici.

— Justement, dit Nory. C'est ce que dit le livre. Tu dois pouvoir ignorer les distractions.

Elliott se concentra. *Pouf!* La tige de la cerise s'enflamma.

— Super! dit son amie en laissant rapidement tomber le fruit dans le bol de crème avant d'en prendre un autre. Cette fois, allume juste le bout. Comme une bougie.

Elliott plissa les yeux et une minuscule flamme apparut au bout de la tige.

— Bravo, Elliott! s'écria Nory.

— Hé! protesta Andres. Ce n'est pas juste!

Il déposa son sac de briques et flotta jusqu'au plafond, où il déclara d'une voix sonore :

— Nory utilise ses mains pour sortir les cerises et Elliott les enflamme!

Tous les autres arrêtèrent et tournèrent leurs visages couverts de crème vers Nory et Elliott.

— Tu fais de la magie normale! dit Willa avec une

drôle de voix. Comment as-tu appris à enflammer les choses au lieu de les geler?

Nory avala sa salive. Elliott se raidit.

— Nory et Elliott, dit l'enseignante d'une voix calme, j'aimerais que vous vous concentriez sur *mon* exercice pendant que vous êtes dans *ma* classe.

— Que veut-elle dire? demanda Willa. Dans quelle autre classe pourriez-vous être?

Nory ne voulait pas révéler à toute la classe ce qu'elle préparait avec Elliott. Elle ne pouvait pas leur dire qu'ils voulaient quitter cette classe.

— C'est à cause des microbes, s'écria-t-elle. Comme le disait Marigold tantôt!

Cette dernière eut l'air perplexe.

— Ça m'a dégoûtée, insista Nory. C'est pour ça qu'Elliott a enflammé la cerise. Parce que j'avais peur des microbes.

Elle n'aimait pas les microbes, c'est vrai, mais, après avoir grandi dans une maison où vivaient douze lapins et un toucan, elle n'en avait pas vraiment peur. Pas autant que de rester ici, dans la classe de magie marginale.

Pepper toussota.

— Les gens ont du mal à respecter les règles quand ils ont peur. Moi, j'ai peur des serpents.

Nory lui jeta un coup d'œil reconnaissant.

— J'ai peur des vers de terre, ajouta Willa. Et ils sortent quand il pleut.

— Ah, ceci est en train de devenir un exercice de confiance d'un autre type, déclara Mme Starr en joignant les mains. En fait, c'est un moment d'enseignement.

Les élèves poussèrent un grognement.

— Avouons tous ce qui nous fait peur, dit-elle en distribuant des serviettes humides emballées individuellement. Nory a peur des microbes, Pepper des vers...

— Des serpents, corrigea Pepper.

— C'est moi qui ai peur des vers, dit Willa.

— Et moi, j'ai peur des hauteurs, dit l'enseignante. C'et ridicule, je sais! Mais c'est comme ça. Andres? De quoi as-tu peur?

— Des grands espaces.

Tout le monde hocha la tête, puis les autres avouèrent tour à tour leurs peurs. Elliott était effrayé par les clowns, et Sébastien par le tonnerre et les concerts rock. Marigold redoutait que les aliments se touchent dans son assiette.

— Je *déteste* la sauce, avoua-t-elle en frissonnant. C'est dégoûtant; la sauce mélange tous les aliments!

— Je suppose que c'est le cas, dit l'enseignante avant de se tourner vers Bax, le seul qui n'avait pas parlé. Bax? Aimerais-tu révéler ta peur?

— Non, merci.

— Peux-tu nous en parler quand même?

Le garçon jeta un regard courroucé à Nory comme si cet exercice de mise en confiance était sa faute.

Personne ne dit mot.

Le silence devint lourd.

Finalement, Bax marmonna quelque chose d'indistinct.

— Désolée, je n'ai pas compris, dit Mme Starr.

— *Mmsspch*, dit Bax en fixant le tapis.

— Peux-tu répéter?

Bax soupira et dit :

— *Des masses et des pioches.*

— Pourquoi? demanda Willa.

— Je comprends, dit Elliott. À cause de son problème de roche.

— *Ohhh*, firent les autres.

— C'est stupide d'avoir peur de ça, murmura Bax.

— Mais non, dit Elliott. Personnellement, je ne voudrais pas recevoir un coup de masse. Ni un coup de pioche, d'ailleurs.

Il le dit avec tant d'emphase que tout le monde rit.

— Je ne blague pas. Les masses et les pioches sont des outils dangereux.

Bax ne sourit pas à Elliott, mais il perdit son air renfrogné.

Nory ressentit un élan d'affection pour Elliott, qui était toujours gentil avec les autres. Elle eut également une bouffée d'affection pour Bax, ce qui la surprit.

Je veux tout de même partir, songea-t-elle. *De toute façon, aller dans une autre classe ne veut pas dire que je ne pourrai plus être amie avec les élèves de MM.*

Bax frappa maladroitement le poing d'Elliott pour le remercier.

Nory détourna les yeux. Tout le monde avait avoué ses peurs, mais elle était la seule à ne pas avoir dit la vérité.

Finalement, le vendredi arriva. C'était le jour du test.
Nory et Elliott se présentèrent tôt à l'école. Une femme
en jupe étroite et munie d'une planchette à pinces les
attendait devant le gymnase.

— Elliott Cohen? s'enquit-elle.

— Oui, dit le garçon d'une petite voix.

— Allons-y, dit la femme en ouvrant la porte.

— Bonne chance! lança Nory. Tu vas réussir. Des
guimauves parfaites!

Il la regarda par-dessus son épaule, les yeux écarquillés.
La femme le suivit et referma la porte.

Nory se mit à marcher de long en large. Elle tenta de
faire craquer ses jointures. Elle fit des sauts sur place
pour atténuer son anxiété. Le test semblait s'éterniser.

Finalement, Elliott surgit du gymnase avec un sourire
béat.

— Une guimauve impeccable! s'écria-t-il. Le
directeur l'a même mangée. Il a dit que c'était sa
meilleure guimauve de la journée! Je sais que c'est la
seule guimauve qu'il a mangée aujourd'hui, mais je m'en
fiche!

Nory sauta de joie.

— Zapristi! Je suis fière de toi!

La femme à la planchette toussota.

— Elinor Horace?

Elle fit entrer la jeune fille dans le gymnase.

— Tu vas être excellente! lui cria Elliott. Une boîte de normalité pour la victoire!

La porte se referma bruyamment derrière elle. Elle tressaillit. Le gymnase ne créait pas beaucoup d'écho quand elle y venait avec le reste de sa classe. C'était la même pièce au plancher de bois usé où elle était entrée de nombreuses fois, mais, à présent, elle lui semblait différente. Plus grande. Plus effrayante.

Elle ne vit pas le directeur Gonzalez, mais n'en fut pas étonnée. Elliott lui avait dit le premier jour que le directeur était invisible.

— Entre, entre! tonna sa voix.

Nory se tourna vers le son et vit un homme assis au centre des gradins branlants. Un homme de haute taille, chauve, avec une grosse moustache ridicule, la peau bronzée et un costume trois pièces en velours.

Il disparut.

Puis il réapparut.

Ensuite, il devint visible à moitié et prit une teinte bleu pâle. Nory savait que c'était un exploit de Fugace difficile à réussir.

— Alors, tu es la fille de Pierre Horace! déclara l'homme. J'ai étudié avec lui à l'académie Sage, le savais-tu? Nous avons fait nos études de Fugaces ensemble.

— Étiez-vous l'ami de mon père?

— Non, dit-il en soupirant. Nous n'étions pas amis, plutôt rivaux. Nous ne partagions pas les mêmes idéaux en matière d'éducation. Mais c'est un homme très intelligent.

Pendant un instant, il sembla perdu dans ses pensées. Puis il se ressaisit.

— Tu te fais appeler Nory, c'est bien ça?

Nory hocha la tête.

Il se leva et lui tendit la main.

— Je suis le directeur Gonzalez. Enchanté de faire ta connaissance.

— Enchantée, répliqua-t-elle.

Sa main était solide, même s'il semblait à moitié présent.

— La nouvelle classe de magie marginale me tient vraiment à cœur, poursuivit-il. Je suis désolé d'apprendre que tu veux la quitter. Je ne suis pas *certain* que ce soit la meilleure façon d'enseigner aux élèves ayant des magies différentes, mais j'espère que ce sera une bonne solution. Tu sais, les enseignants débattent la question de l'éducation marginale depuis longtemps. Il existe plusieurs théories. De plus en plus de classes de magie marginale voient le jour à travers le pays. J'ai bon espoir qu'elles apporteront un changement positif.

— Mme Starr est une excellente enseignante, dit Nory.

C'était vrai. En le disant, elle en eut la certitude.

— Tu veux tout de même partir?

Elle hocha la tête.

— Dommage. Puisque c'est si important pour toi, je vais t'accorder une chance. Montre-moi ton chaton. Tout noir, s'il te plaît.

Il se rassit dans les gradins et tapa des mains sur ses cuisses.

Nory se concentra sur sa boîte de normalité. Elle demeura à l'intérieur de ses murs sécuritaires et créa son chaton.

Elle le réussit à la perfection et resta immobile pendant que le directeur examinait ses moustaches, ses dents, sa queue et ses oreilles duveteuses. Elle miaula et obéit quand il lui ordonna de sauter sur une chaise et de rouler sur elle-même.

La femme à la jupe étroite ouvrit une boîte de thon et la déposa par terre. Nory ne la mangea pas.

Puis la femme se métamorphosa en souris et courut devant Nory. L'esprit humain de Nory demeura en contrôle.

Elle ne se lança pas à la poursuite de la souris.

Enfin, la femme se changea en papillon et voltigea autour de sa tête.

Nory ne le pourchassa pas.

— Beau travail, très bien! déclara le directeur Gonzalez. Tu peux reprendre ta forme humaine.

Nory passa de chat à fille.

— Parfait, dit le directeur. Tu as bien réussi, tout comme Elliott.

— Allez-vous nous transférer dans une classe normale, maintenant?

— Il y a d'autres facteurs à considérer, dit-il en se frottant le menton. Mais vous pouvez être fiers de vous. Je vous donnerai une réponse d'ici la fin de la journée.

Elliott l'attendait à l'extérieur du gymnase. La première cloche sonna et ils coururent jusqu'à leur local.

— Plus jamais, jamais, jamais! chantonnait Elliott. Plus jamais je ne ferai geler une fleur ou transformerai une pizza en cercle glacé. Mes jours de gel sont terminés!

— Et plus de moufféphant pour moi! ajouta Nory.

À sa grande surprise, elle eut un pincement au cœur, mais chassa ce sentiment de tristesse.

Elliott arrêta de courir. Il avait les joues toutes roses.

— Nory? Nous sommes *normaux*.

— Oui, tant que nous resterons dans nos boîtes de normalité.

16

Les élèves de MM, y compris Nory et Elliott, firent des maths et de la géographie, puis de la danse d'interprétation pour exprimer leurs émotions.

Ils se tinrent sur la tête et Bax alla voir l'infirmier.

— Mes yeux, mes yeux! cria Sébastien durant le cours de musique en portant les mains à son visage. Si vous devez chanter, pourriez-vous au moins éviter de fausser?

— Si tu dois te plaindre, pourrais-tu au moins le faire dans ta tête? répliqua Andres du plafond.

Sébastien leva la tête et tira la langue. Andres rigolait. Nory réprima un sourire. *Certaines* choses lui manqueraient si elle changeait de classe.

Plus tard dans la matinée, Mme Starr leur fit faire une activité de « recentrage ». Les élèves devaient se tenir en équilibre sur la jambe droite et se pencher en avant, les bras étendus comme des ailes.

— Oui, Willa! Maintenant, allongez la jambe gauche et é-ti-rez le pied gauche vers l'arrière. Oh, Elliott! Ça va?

Elliott n'était pas très centré. Il ne cessait de perdre l'équilibre. Au début, cela le faisait rire, mais en voyant que les autres s'amélioraient et pas lui, il devint contrarié.

Nory s'en aperçut.

— Ne t'en fais pas, dit-elle en sautillant vers lui sur sa jambe droite.

Elle allait lui dire que bientôt, en classe de magie ordinaire, il n'y aurait plus d'exercice de recentrage, mais Bax prit la parole avant elle :

— Hé, pince ton lobe d'oreille.

— Quoi? dit Elliott.

— Quand tu chancelles, pince ton lobe droit.

Elliott se tint sur la jambe droite, étendit les bras et se pencha en avant. Il allongea la jambe gauche en arrière et se mit à vaciller.

— Holà! s'exclama-t-il en faisant des moulinets avec ses bras.

— Prends ton lobe! Pince-le! insista Bax.

Elliott obéit et retrouva son équilibre. Puis il étendit de nouveau le bras.

Il était exactement comme un avion. Un sourire illumina son visage.

— Comment as-tu appris le truc du lobe? demanda-t-il à Bax.

— Je suis une roche la moitié du temps. Les roches ne vacillent pas.

— Les roches n'ont pas de lobes non plus, répliqua Elliott.

— Bon, dit Bax. Ma mère m'oblige à aller au cours de yoga avec elle.

— En tout cas, merci, dit Elliott.

Il se redressa et frappa ses jointures sur celles de Bax. Ils faisaient ce geste presque chaque jour, à présent.

Nory se demanda si Elliott allait s'ennuyer de certains aspects de cette classe, lui aussi.

Elle décida de ne pas le lui demander.

Après le dîner, la classe de Mme Starr se joignit aux autres élèves dans la cour pour la récréation. Comme d'habitude, les élèves de MM se dirigèrent vers les balançoires. Elliott était le dernier et tenait la laisse d'Andres. Il s'arrêta près des balançoires et tendit la laisse à Nory.

— Je ne reste pas, expliqua-t-il. Mes amis, les Étincelles, seront contents d'apprendre la bonne nouvelle.

— Attends, Elliott! dit Nory.

Elle s'éloigna des autres et baissa la voix. Andres flottait un peu plus loin.

— Le directeur ne nous a pas encore donné de réponse officielle.

— Je sais, mais on a réussi!

Nory se mordilla le doigt.

— Quand même. Pourquoi veux-tu le dire aux Étincelles?

— Mes amis vont se réjouir pour moi. Tu vas voir. On se connaît depuis toujours et ils sont super. Ils étaient juste mal à l'aise avec le truc de la glace, et je les comprends.

Il descendit la pente en direction de Zinnia, Lara et

Rune, qui étaient près de la zone boisée à l'autre bout du terrain.

— Qu'est-ce qu'il leur trouve? dit Nory en arrivant aux balançoires.

Marigold plissa le nez.

— Ils sont méchants.

Quelque chose gratta le poignet de Nory. C'était la laisse d'Andres qui tirait sur sa peau.

— Elliott a un problème avec les Étincelles! lança-t-il. On devrait aller voir.

— Qu'est-ce qui se passe? demanda Nory.

Elle n'arrivait pas à distinguer la zone boisée, mais Andres était assez haut pour la voir. Il agita les jambes frénétiquement, la faisant trébucher.

— Allons-y! Ces abrutis s'en prennent à Elliott! cria-t-il.

Les élèves de MM se mirent à courir, Nory tirant Andres derrière elle. Ils trouvèrent Elliott tout juste à la lisière du bois, là où les dames de la cafétéria ne pouvaient pas le voir. Il était avec les Étincelles dans un coin sombre entre deux chênes.

Ils l'avaient plaqué contre un arbre et Lara tenait un

bâton enflammé.

— Allons, juste un pour chacun de nous! disait Zinnia.

— Vous ne comprenez pas, protesta Elliott. Je suis normal, maintenant.

— Mais on veut *manzer* des bâtonnets glacés, bon! insista Lara d'une voix de bébé. Si on était vraiment des *zamis*, tu nous en ferais.

Elle agitait le bâton enflammé devant le visage d'Elliott.

— Il ne peut pas faire des bâtonnets glacés sur demande, dit Andres du haut des airs. Laissez-le tranquille!

Les Étincelles levèrent la tête pour scruter le ciel.

— Sinon quoi? rétorqua Lara. Tu vas cracher sur moi?

Zinnia éclata de rire.

— Sérieusement, dit Bax. Elliott, viens avec nous.

Ce dernier hésita une seconde, puis vint se ranger près des élèves de MM.

— Et n'essayez plus de l'embêter, dit Bax aux Étincelles.

— Ooooh! J'ai peur! dit Lara. Le gros méchant Bax

pourrait se changer en pierre!

Le garçon gronda :

— Si je le fais, j'espère que je vais tomber sur ton pied.

— Lara, ne sois pas méchante, dit Zinnia. Ce n'est pas la faute de Bax s'il se transforme toujours en roche. Il est juste un *bizarroïde*.

Elle fit un geste qui englobait tout le groupe de MM et ajouta :

— *Ils le sont tous.*

— On n'est pas des bizarroïdes, dit Willa. On est *différents*.

— Et personne ne dit plus *bizarroïde*, ajouta Marigold. C'est passé de mode.

— Changer le mot ne changera rien aux faits, déclara Lara. Demandez à n'importe qui. Vous êtes aussi bizarres que... Tiens, qu'une mouffette avec une trompe d'éléphant!

Elle éclata de rire.

— Tais-toi, dit Nory.

— Toute une riposte! ricana Lara.

— Arrête ça!

— C'est tout ce que tu trouves à dire? se moqua Lara

en s'avançant vers elle. Je n'en reviens pas que ton père soit le directeur de l'académie Sage, alors que tu n'es que *toi*. Bizarre, extravagante et... oh tellement nauséabonde!

Andres marmonna des paroles indistinctes. Puis il se gratta la gorge et *ftou!* projeta un énorme crachat sur la tête de Lara. Le crachat se mit à couler sur son front et derrière ses lunettes.

— *Pouah!* s'exclama Zinnia. Lara, c'est dégueu!

Rune pouffa.

La bouche déformée par un rictus, Lara fit un geste de la main vers Andres. Une étincelle jaillit et la laisse du garçon se mit à fumer. De petites flammes apparurent.

— La laisse d'Andres est en feu! cria Nory. Aidez-moi!

Andres hurla de frayeur. Les flammes montèrent un peu plus haut.

Willa fronça les sourcils et appuya ses doigts sur ses tempes. Rien ne se produisit.

— Je ne peux pas faire pleuvoir dehors! gémit-elle.

Sébastien restait figé, impuissant.

Marigold aussi.

— Je rapetisserais bien sa laisse, dit-elle en se tordant

les mains. Mais j'ai peur que ça mette le feu à ses vêtements.

La laisse se consumait peu à peu. À présent, seuls quelques fils empêchaient Andres de s'envoler dans l'espace. La chaleur atteignit la main de Nory, mais elle tint bon.

— Au secours! cria Andres. Si la laisse se rompt, je vais monter pour toujours!

— Je vais aller chercher une Flèche dans la cour! dit Marigold.

Sébastien lui prit le bras.

— Ça ne servira à rien. Les seuls élèves dehors sont en cinquième année...

— ... et ils ne peuvent s'élever qu'à soixante centimètres, finit-elle pour lui. Et les dames de la cafétéria sont toutes des Fourrures!

Le souffle court, Nory jeta un regard désespéré à Elliott. Elle savait ce qu'il fallait faire. Lui aussi.

— Tu dois l'aider, dit-elle. Allons, tu es capable.

Il hésita.

— Il le faut! insista-t-elle. Oublie cette stupide boîte de normalité! Andres a besoin de toi!

Elliott pinça les lèvres, puis écarta les doigts avec une expression déterminée.

La laisse gela instantanément de haut en bas. Le feu s'éteignit avec un chuintement.

— Bravo, Elliott! s'écria triomphalement Nory.

Le corps d'Andres se détendit de soulagement.

— Tout va bien, lui dit Nory. On va te faire descendre.

Elle se mit à tirer la laisse gelée vers elle.

— Tu l'as sauvé! dit Marigold à Elliott.

— On dirait bien, répondit ce dernier.

Mais non.

Dans un bruit terrifiant, la laisse gelée craqua. Des morceaux de glace tombèrent.

C-*r-r-r-a-c*.

La corde se rompit.

— Noooon! cria Nory.

Andres s'envola en agitant les bras et les jambes.

Super vite.

Super haut.

Lara éclata de rire.

Les autres paniquèrent et lancèrent des suggestions pêle-mêle :

— Jetons-lui des pommes de pin pour le faire descendre!

— Non, lançons un filet!

— Allez chercher une Flèche avancée!

Sébastien courut vers l'école pour avertir un enseignant, mais Andres était déjà bien au-dessus des arbres. Quand une Flèche finirait par les rejoindre, il serait parti depuis longtemps.

Nory enfonça ses ongles dans ses paumes. Andres s'élevait de plus en plus haut. Bientôt, personne ne pourrait plus le sauver.

À moins que...

Nory prit une grande inspiration. D'abord, elle imagina sa boîte de normalité. Puis elle se représenta les parois de la boîte qui explosaient dans toutes les directions.

Plus de boîte.

Plus de normalité.

Ensuite, elle imagina un grand oiseau, rapide et puissant. Elle n'avait jamais créé d'oiseau de sa vie, alors, beaucoup de choses risquaient de se détraquer. Mais elle se concentra de toutes ses forces, visualisant les ailes, les griffes et des yeux à la vision parfaite.

— C'est ça, Nory! l'encouragea Elliott.

Oiseau-Nory regarda en bas et vit Elliott qui sautait sur place en tapant des mains.

— Vas-y, Nory! lança Marigold. Vite!

Oiseau-Nory s'envola vers le ciel. *Peut-être que je devrais aller faire un nid.*

Pas de nid! ordonna Fille-Nory. *Andres. Seulement Andres.*

Oiseau-Nory aperçut le garçon, une silhouette informe portant un chandail rayé, qui volait sans plumes dans le ciel.

Non, pensa Oiseau-Nory en changeant de direction. *Je préfère chercher des vers.*

Il n'a pas de plumes, mais il est tout de même ton ami, dit Fille-Nory à son esprit d'oiseau. Oiseau-Nory l'entendit et obéit.

Elle s'envola vers le truc informe et le regarda droit dans les yeux.

Il était énorme.

Elle devait être toute petite.

Oiseau-Nory s'étira le cou pour s'observer.

Oh, zut! Un geai bleu? Sérieusement?

Elle devait grossir, il n'y avait pas d'autre solution.

Grossis! s'ordonna-t-elle. *GROSSIS maintenant! Allez!*

Elle frémit.

Elle tendit ses muscles.

Rien ne se passa. Elle était toujours un petit geai bleu et le gros Andres flottait de plus en plus haut à côté d'elle.

Pourquoi ne grossissait-elle pas? Sa stupide magie était-elle trop déréglée pour se détraquer à volonté quand elle le lui ordonnait?

Les paroles de Mme Starr lui revinrent à l'esprit : *Nous devons nourrir ce qu'il y a en nous.*

Eh bien, il y avait toutes sortes de magies différentes à l'intérieur de Nory, c'était certain. Sa boîte de normalité était minuscule en comparaison de tout ce qu'elle avait dû laisser de côté en la créant. Et dans la partie qu'elle avait dû abandonner, il y avait sans aucun doute de la magie qui permettait de grossir. Elle le savait à cause de la moufféphant.

Je te nourris, moufféphant intérieure! songea-t-elle.

Manifeste-toi!

Elle la nourrit de toutes ses forces, mais en vain.

Dans son esprit, elle entendit encore Mme Starr : *Le cours de magie marginale ne vise pas à contrôler vos émotions, mais à les comprendre.*

Bon, elle allait essayer. Que ressentait-elle?

Elle était inquiète pour Andres. Dégoûtée par Lara.

Agacée par Elliott parce qu'il voulait être l'ami de Lara. Compatissante parce qu'il voulait des amis.

Pleine d'espoir que Pepper et elle soient un jour des amies.

Fâchée contre son père. Frustrée à cause de Dalia et Hubert. Triste parce qu'elle s'ennuyait d'eux.

Fière de pouvoir réussir un geai bleu, mais inquiète de ce que les gens diraient si elle le transformait en autre chose.

Voilà quels étaient ses sentiments. Les sentiments de Nory Boxwood Horace, pendant qu'elle volait auprès d'Andres dans le ciel.

Et cela fonctionna. Nory grossit, grossit et grossit. Elle devint Énorme-Geai-bleu-Nory.

— Aaaaah! cria Andres.

Il agita les jambes pour tenter de s'éloigner d'elle.

Énorme-Geai bleu-Nory se transforma de nouveau. Son visage d'oiseau se modifia. Elle reconnut la souplesse de sa peau et le battement de ses cils. Maintenant, elle avait son visage de fille. *Ça alors!*

Nory n'avait jamais entendu parler d'un Fluide qui pouvait être mi-animal, mi-humain.

— Andres, c'est moi, Nory, dit Énorme-Geai bleu-à-visage-de-Nory.

Les yeux du garçon s'écarquillèrent.

— C'est moi, vraiment. Je vais te sauver, d'accord?

Énorme-Geai-bleu-à-visage-de-Nory saisit Andres dans ses pattes griffues. Il était lourd et la résistance de sa magie inversée était forte, mais elle agita ses ailes puissantes et alla le déposer sur le sol, sain et sauf.

Tous les élèves de MM applaudirent.

Nory, soulagée et épuisée, redevint elle-même.

Andres, qui n'était plus entre les griffes d'un oiseau géant, recommença à flotter vers le haut.

Non!

Nory l'attrapa par la cheville.

Sauf que plus Andres était anxieux, plus sa magie

devenait puissante.

Il continua de s'élever.

Elliott saisit la jambe de Nory. Mais la magie d'Andres était si puissante que bientôt, Elliott fut soulevé du sol à son tour.

Willa le retint.

— On a besoin d'une corde! Trouvez une corde, quelqu'un! cria-t-elle.

Zinnia et Rune se mirent à courir vers l'école, mais alors qu'ils se trouvaient seulement à mi-chemin, Marigold poussa une exclamation en pointant du doigt.

— Regardez!

C'était Bax.

Il était devenu une corde.

Marigold passa Corde-Bax à Elliott, qui le donna à Nory. La jeune fille l'attacha à la ceinture d'Andres et tira un petit coup pour s'assurer que le nœud tenait.

Elle redonna l'autre extrémité de Corde-Bax à Willa, qui l'attacha à son poignet.

Puis tout le monde (sauf Andres) redescendit maladroitement vers le sol.

Ils étaient tous en sécurité. Andres aussi.

Il leur fallut une minute pour le comprendre.

— Merci, Bax, dit Andres à la corde.

Corde-Bax ne répondit pas.

— À qui parle Sébastien? demanda Elliott.

Ils se retournèrent. Sébastien courait vers eux en parlant dans le vide.

— Sébastien! cria Nory. À qui parles-tu?

Quelque chose se mit à chatoyer à côté du garçon.

Une chaussure apparut, puis un veston. Ensuite, le reste du directeur Gonzalez se révéla, sa moustache apparaissant en dernier. Avec un frémissement des lèvres, comme pour vérifier que chaque poil était bien en place, il déclara :

— Il parlait à moi.

Le directeur sortit une laisse de cuir bleue de sa poche. Il la noua à la ceinture d'Andres et détacha Corde-Bax. Puis il tendit la laisse à Nory et Corde-Bax à Willa.

— Emmène Bax voir l'infirmier. Il saura quoi faire... Mais je ne regarderais pas, si j'étais toi.

Willa partit. Lara, les yeux baissés, se faufila derrière elle comme un crabe espérant ne pas se faire remarquer.

— *Psssit!* dit le directeur Gonzalez en levant un doigt. Pas si vite, Lara Clench.

La jeune fille courba les épaules. Puis elle se retourna et dit, avec un sourire forcé :

— Je suis vraiment contente qu'Andres soit sauvé. Mais la façon dont Elliott a glacé cette laisse et l'a brisée?

Elle cligna des yeux innocemment et ajouta :

— La magie marginale est vraiment dangereuse. Je ne veux offenser personne. C'est juste une constatation.

— Parlons plutôt de *toi*, Lara, dit sévèrement le directeur. Penses-tu que c'était intelligent d'enflammer la laisse de quelqu'un?

— Non, monsieur. Je sais qu'il s'agissait d'un feu non supervisé, mais c'était un accident. Je n'ai pas encore un bon contrôle. Demandez à mon prof! On a dû utiliser les extincteurs à quatre reprises à cause de moi la semaine dernière.

Le directeur haussa les sourcils.

— C'était une erreur, je le jure! insista-t-elle. Je n'ai pas fait exprès d'enflammer sa laisse!

— Hum, fit l'homme. Tu as de la chance que les élèves de MM aient agi si rapidement et avec autant de créativité.

Il regarda Lara dans les yeux et continua :

— Sinon, Andres aurait pu mourir. Comprends-tu ça?

Le visage de Lara devint livide.

— Oui, monsieur.

— Très bien. À présent, parlons de tes manières. Aimerais-tu qu'on se moque de toi à cause de tes lunettes, ou de tout ce qui te différencie des autres?

Elle avala sa salive et secoua la tête.

— C'est bien ce que je pensais.

— J'en ai vraiment besoin, ajouta Lara. Ce sont des verres correcteurs.

— Je n'accepterai pas l'intolérance! déclara le directeur. Je n'accepterai pas la méchanceté pour quelque raison que ce soit : race, sexe, orientation, famille, religion, poids, aptitudes magiques, bonbons préférés ou tout ce qui peut distinguer une personne d'une autre. C'est inacceptable à l'École de Magie de Perlincourt.

— C'était un accident, murmura Lara.

— Ce que tu as *fait* était peut-être un accident, mais ce que tu as *dit* à Elliott et ses camarades était définitivement délibéré. Nous en reparlerons dans mon bureau. Zinnia et Rune y sont déjà. Va les rejoindre.

Après le départ de Lara, le directeur renvoya les élèves de MM dans leur classe.

Tous sauf Nory et Elliott.

— Vous devinez sûrement ce que j'ai à vous dire? déclara-t-il quand les autres furent partis.

Nory avait la gorge nouée par la honte.

Puis un sentiment de fierté l'envahit.

La honte.

La fierté.

Sa magie différente avait été exposée aux yeux de tous. Un geai bleu géant à visage de Nory? Cela la suivrait pour toujours.

Par contre, elle avait sauvé Andres!

C'était horrible.

C'était merveilleux!

— Vous allez nous dire que nous avons fait une bonne action aujourd'hui, dit Elliott. Vous êtes heureux que nous ayons sauvé Andres. *Sauf* qu'il va falloir travailler encore plus fort pour ne pas laisser notre magie détraquée prendre le dessus à l'avenir.

Le directeur inclina la tête.

— C'est ça, ta prédiction?

— Grâce au livre *La boîte de normalité*, on va s'améliorer, dit obstinément Elliott. Surtout qu'on sera dans une classe normale. Rien de tout ça ne se reproduira, je vous le promets, M. Gonzalez.

Les yeux sombres du directeur étaient remplis de gentillesse.

— Nory, Elliott... Votre place est dans la classe de Mme Starr.

— Quoi? s'exclama le garçon, le souffle coupé. N-nous deux? C'était juste un peu de glace, pour sauver Andres!

— Une magie comme la vôtre exige une formation particulière. Ce qui s'est passé avec Andres m'a permis de comprendre ce que je savais probablement déjà. Tu ne recevras pas un enseignement approprié dans une classe normale de Flammes, Elliott. Même chose pour toi avec une classe de Fluides de magie ordinaire, Nory. Je ne sais pas comment tu as réussi ce tour de force, mais je suis convaincu que l'enseignement de Mme Starr a joué un rôle. Ai-je raison?

Nory hocha la tête. Il ne faisait aucun doute que les conseils de Mme Starr l'avaient aidée.

Le directeur les entraîna vers l'école.

— Voilà mon verdict. Votre place est dans la classe de magie marginale.

Elliott eut l'air horrifié.

— Mais...

— Ma décision est sans appel.

Puis le directeur disparut. Instantanément, avec un petit bruit sec.

Nory et Elliott s'assirent sur la pelouse. Elliott boudait. Nory réfléchissait.

Elle ne serait pas transférée dans une classe de magie ordinaire.

Donc, elle ne tenterait pas de nouveau sa chance à l'académie Sage. Et elle ne rentrerait pas à la maison.

Un sentiment de déception la submergea.

Arriverait-elle à voir le beau côté des choses? Elle décida de complimenter Elliott. Au moins, elle pouvait l'aider à se sentir mieux.

— Ce que tu as accompli était très important, déclara-t-elle. Quand tu as gelé la laisse. Qui d'autre que toi aurait pu réussir cela?

Il eut un ricanement amer.

— Nul autre qu'Elliott, la Flamme inversée!

Elle se mordit la lèvre.

— J'ai un secret à te révéler. Être une Fille-Oiseau géante était merveilleux.

— Vraiment?

— Vraiment. Je me sentais *puissante*.

Pendant un moment, le garçon resta impassible. Puis il sourit et répliqua, en cueillant un brin d'herbe :

— La magie de la glace est plutôt géniale aussi. Mais les Étincelles ne voudront plus jamais me parler.

Nory fit la grimace.

— Et c'est un problème parce que...?

Il plissa les yeux, puis éclata de rire. Le gros rire ponctué de grognements que Nory trouvait si sympathique.

— Je suppose que ce n'est pas un problème, hein?

— Ce sont *eux*, le problème.

— Tu as raison. Je devrais geler leurs oreillers.

— Ou leurs sous-vêtements.

Ils s'esclaffèrent.

Un mouvement attira l'attention de Nory. C'était Marigold qui traversait le terrain en courant. Elle s'arrêta devant eux et tenta de reprendre son souffle, les mains sur les jambes.

— Mme Starr veut que vous reveniez en classe, dit-elle en souriant. Elle est allée chercher des coupes de crème glacée à la cafétéria; on ne fera pas de géographie aujourd'hui. Et Bax a repris sa forme humaine.

Elliott se leva et tendit la main à Nory.

— Allons-y.

— Tu es certain?

Il hocha la tête.

— Oui. S'il y a de la crème glacée, je suis partant!

18

Une semaine plus tard, Elliott, Marigold, Willa, Bax, Nory et Sébastien firent un pique-nique dans la cour arrière de tante Margo. Andres flottait au-dessus d'eux, sa laisse attachée à une table.

C'était l'une des dernières journées chaudes de l'année. Le changement de couleur des feuilles était dans l'air.

Figs fit une démonstration de son saint-bernard et joua au disque volant avec Bax.

Ce dernier affirma qu'il avait toujours voulu un chien.

Margo apporta de la limonade.

— Elliott, veux-tu essayer ce dont on a parlé? lui

demanda-t-elle.

— Oui, Elliott! l'encouragea Nory. Vas-y!

Il tendit un doigt vers la limonade et la gela.

— Des barbotines pour tout le monde! déclara-t-il.

Ses amis poussèrent des cris ravis.

Une silhouette menue apparut à la porte de la maison.

— Pepper! s'écria Nory. Tu es venue!

— Figs, change-toi *maintenant*, ordonna Margo.

Figs suivit aussitôt son conseil. Retrouvant sa forme humaine, il toussota et ajusta sa chemise. Si Pepper lui avait fait peur, ne serait-ce qu'une demi-seconde, il n'avait pas l'intention de le montrer.

Pepper se tenait timidement à l'écart. Nory la prit par le bras et l'entraîna vers les autres.

— Des barbotines au citron, gracieuseté d'Elliott! annonça-t-elle en lui tendant un verre.

— Miam, dit Pepper en souriant.

Le téléphone cellulaire de Margo vibra. Elle le sortit de sa poche avec un froncement de sourcils.

— Allô?

Elle écouta un moment, puis se tourna vers Nory.

— En fait, ce n'est pas un bon... Eh bien, d'accord...

Avec un soupir, elle tendit le téléphone à sa nièce.

— C'est pour toi.

Nory ne comprenait pas. Ses amis étaient tous ici. Qui pouvait bien l'appeler?

Elle s'écarta du groupe et porta l'appareil à son oreille.

— Allô?

C'était Dalia et Hubert.

— Comment s'est passé le test? demanda sa sœur.

— As-tu réussi? ajouta son frère.

— Es-tu sortie de la magie marginale?

— Vas-tu rentrer chez nous?

Nory s'appuya à un arbre. Tellement de choses s'étaient passées qu'elle ne savait pas par où commencer. En outre, elle était froissée. Le test s'était déroulé la semaine dernière et ils ne l'appelaient que maintenant.

— J'ai échoué, dit-elle. Je dois rester dans la classe de MM.

— Oh, je suis désolée! s'exclama Dalia. Tu pourrais peut-être essayer une autre fois?

— Il le faut, déclara Hubert, dont le ton rappela à Nory à quel point il pouvait être autoritaire. Tu dois t'exercer davantage, c'est tout. Plus fort et plus longtemps.

— Ah bon?

— Tu ne vas pas abandonner, j'espère? Tu veux rentrer à la maison, n'est-ce pas?

Nory enroula une mèche de cheveux sur son doigt. Évidemment qu'elle voulait rentrer à la maison. Elle s'ennuyait de Dalia, Hubert et Père. Sa chambre lui manquait, ainsi que leur grande maison et les espaces verts de sa ville natale. Tant de choses lui manquaient!

Mais ici, elle avait tante Margo, qui l'aimait telle qu'elle était. Tante Margo qui lui offrait des livres de bibliothèque, l'emmenait voler et la laissait manger des repas remplis de féculents, de graisse et de sucre.

Elle avait Figs, qui réussissait un saint-bernard incroyable, et Mme Starr, qui n'avait jamais peur d'avoir l'air ridicule et estimait qu'il fallait parler de ses émotions.

Et elle avait les autres élèves de la classe de MM. Elle pouvait compter sur eux, et eux sur elle.

— Je dois raccrocher, dit-elle. Mes amis sont ici.

— Tes amis? répéta Hubert. De ta classe de magie marginale?

— Oui. On déguste des barbotines!

— Oh, dit son frère en soupirant. Bon, n'oublie pas de t'exercer pour ton chaton noir.

— Au revoir, dit Nory avant de couper la communication.

Elle baissa le bras. Bax lança le disque volant à Andres, qui le renvoya à Pepper, qui fit une passe à Elliott.

Ce dernier l'attrapa gauchement et le fit voler vers Willa, qui le lança à Marigold. Cette dernière l'envoya à Sébastien, qui l'échappa. Sébastien l'échappait toujours.

— Ce n'est pas ma faute! s'écria-t-il. Les ondes sonores sont trop brillantes!

Nory savoura sa barbotine en regardant ses amis.

Elle n'était plus certaine de vouloir s'exercer à être normale. Elle n'était plus certaine de vouloir retourner chez son père.

Cela voulait-il dire qu'elle abandonnait?

Ou bien qu'elle choisissait quelque chose de différent?

Peut-être que j'aime être marginale, pensa Elinor Boxwood Horace.

Remerciements

Une boîte explosive de remerciements à :

Nos Fluides :
David Levithan, Kelly Ashton, Elizabeth Parisi, Ellie Berger, Lori Benton, Tracy van Straaten, Bess Braswell, Whitney Steller, Abby McAden, Aimee Friedman, Rachael Hicks, Lizette Serrano, Emily Heddleson et tout le monde chez Scholastic.

Nos Fugaces :
Laura Dail, Barry Goldblatt, Elizabeth Kaplan, Tamar Rydzinski, Deb Shapiro, Arielle Datz et Tricia Ready.

Nos Flèches :
Robin Wassmerman, Courtney Sheinmel, Jennifer E. Smith, Elizabeth Eulberg, Bob, Gayle Forman, Maureen Johnson, Rose Brock et Libba Bray.

Nos douces Fourrures :
Al, Jamie, Ivy, Maya, Mirabelle, Alisha, Hazel, Chloe et Anabelle.

Nos Flammes :
Daniel, Randy et Todd.

À propos des auteures

SARAH MLYNOWSKI est l'auteure de la série à succès *Il était une fois...* et de plusieurs romans pour jeunes adultes dont la série *Magic in Manhattan* et *Ten Things We Did (and Probably Shouldn't Have)*. Originaire de Montréal, Sarah habite maintenant au royaume de Manhattan avec son prince charmant et ses deux filles amoureuses des contes de fées. Elle aimerait être une Fugace pour pouvoir faire disparaître son désordre.

LAUREN MYRACLE est l'auteure de plusieurs romans populaires pour les jeunes, y compris les livres classés au palmarès du *New York Times ttyl* et *ttfn*. Elle vit à Fort Collins, au Colorado. Elle aimerait être une

Fourrure pour pouvoir parler avec les licornes et leur donner des baies.

EMILY JENKINS est l'auteure de livres pour enfants et adultes classés au palmarès du *New York Times*. Sous le pseudonyme E. Lockhart, elle a publié *The Disreputable History of Frankie Landau-Banks*, un roman qui a été finaliste pour le National Book Award et le prix Michael L. Printz. Elle aimerait être une Flamme et travailler comme pâtissière.